Mami Takada przyjechała z Japonii, chce studiować malarstwo na Akademii Sztuk Pięknych w Krakowie.

Mami Takada comes from Japan and wants to study painting at the Academy of Fine Arts in Cracow.

Angela Brown jest Angielką, a chce mówić po polsku, ponieważ jej rodzina pochodzi z Polski.

Angela Brown is English but wants to speak Polish since her family come from Poland.

Uwe Stein to niemiecki biznesmen, potrzebuje polskiego ze względów zawodowych.

Uwe Stein is a German businessman who needs Polish for professional reasons.

Javier Perez jest z Argentyny. Polski to dla niego po części hobby, a po części szukanie nowego pomysłu na życie.

Javier Perez comes from Argentina. For him, Polish is both a hobby and a way of finding a new idea for life.

Tom Peterson jest z USA. Uczy się polskiego, bo pisze doktorat o upadku komunizmu. Jego dziewczyna jest Polką.

Tom Peterson comes from the USA. He is learning Polish while working on a doctoral thesis on the fall of communism. His girlfriend is Polish.

Anna **Stelmach**

CZYTAJ
krok po kroku

C2
C1
B2
B1
A2
A1

proste
historie

2

Szkoła Języka Polskiego
Glossa

jak korzystać
how to use

 TEKSTY
TEXTS

10 tekstów podzielonych na 5 modułów
10 texts divided into 5 modules

 ĆWICZENIA
EXERCISES

Ćwiczenia leksykalno-gramatyczne do każdego tekstu
Lexical and grammatical exercises accompanying each text

 SŁOWNICZEK
GLOSSARY

Słowniczek polsko-angielski do każdego modułu
Polish-English glossary for each module

 SŁOWNIK A-Ż
A-Ż GLOSSARY

Alfabetyczny słownik polsko-angielski
Alphabetical Polish-English glossary

 NAGRANIA
RECORDINGS ⬇

Nagrania tekstów do pobrania na e-polish.eu/czytaj
Recorded texts to be downloaded from e-polish.eu/czytaj

KOD
CODE F832-2GA9-91XC

Skorzystaj z wersji multimedialnej słownika poszerzonej o tabele odmian:
Use the multimedia version of the glossary, extended with inflection tables:

online-polish-dictionary.com

Tłumaczenia trudniejszych słów i zwrotów na marginesie
Translations of more advanced words and phrases in the margin

tylko *only*	**Tylko** gospodarz, pan Maj, słyszy **dzwonek**. Otwiera drzwi.
dzwonek *door bell*	– Angela, miło cię widzieć! – mówi z entuzjazmem. – Mami
u siebie *by oneself*	jest **u siebie**, rozmawia przez internet z rodzicami. Ale dobrze, że jesteś. Dzisiaj twoja koleżanka chodzi od pokoju do pokoju i się nudzi. Jest trochę…, nie wiem… smutna?
Puk, puk! *Knock! Knock!*	– **Puk, puk! Mogę?** – pyta Angela i energicznie wchodzi do
Mogę? *Can I?*	pokoju. – Co robisz, rozmawiasz?
już *just*	– Tak, ale **już** kończę – Mami mówi **jeszcze coś** po japońsku
jeszcze coś *something more*	i zamyka komputer. Angela nie pyta o nic. Wie, że Mami nie lubi rozmawiać o rodzinie.
randka *date*	– Wiesz, że jestem na portalu **randkowym** dla singli, prawda?

Urozmaicona forma ćwiczeń
Varied form of exercises

ćwiczenia
exercises

1 **Kto to mówi: klient (K) czy sprzedawca (S)?**
Who says it: a client (K) or a shop assistant (S)?

	K	S
1. Czy można płacić kartą?	✓	
2. Tylko gotówką.		
3. Czy to wszystko?		

Klucz odpowiedzi: s. 75
Answer key: p. 75

Tematyczne zestawienie słownictwa według części mowy, dodatkowo pogrupowane w logiczne bloki
Thematic summary of vocabulary presented by part of speech and additionally grouped into logical blocks

słowniczek
glossary

	polski	English	your notes
czasownik	polecać	recommend	
	rezerwować	reserve	
	zamawiać	order	
	zapraszać	invite	
rzeczownik	bigos	cabbage stew	
	naleśniki	pancakes	
	placki	crumpets	
	rosół	chicken soup	

W rubryce *your notes* **miejsce na przykłady i notatki**
Space for your own examples and notes in your notes column

Słownik zawiera wszystkie ważne słówka z rozdziałów 6-10 podręcznika „POLSKI krok po kroku" 1
The glossary contains all important words from chapters 6-10 of the textbook 'POLSKI krok po kroku'

CZYTAJ
krok po kroku

spis treści
contents

DLA NAUCZYCIELI

Seria „CZYTAJ krok po kroku" powstała z myślą o tych, dla których lektura to nie tylko odkrywanie nowych rzeczy, ale też przyjemność i niezbędny element codzienności.

Czytanie w języku obcym od samego początku nauki ma wspaniały wpływ na motywację. Nic nie daje takiej satysfakcji, jak moment, w którym można wreszcie powiedzieć „rozumiem!". Uczący się języka polskiego często szukają na własną rękę – korzystają z zasobów internetu albo próbują czytać książki dla dzieci. Tymczasem trafiają na tak wiele trudnych słów i struktur gramatycznych, że szybko się zniechęcają i frustrują.

„CZYTAJ krok po kroku" zostało pomyślane jako zbiór materiałów uzupełniających zarówno do pracy samodzielnej, jak i do wykorzystania na zajęciach grupowych. Można je traktować jako powtórzenie czy też utrwalenie materiału, jako zadanie domowe bądź inspirację do gier, dyskusji, scenek itp. Zawartość leksykalna i gramatyczna pierwszych pięciu tomików serii „CZYTAJ krok po kroku" pokrywa się niemal z każdym podręcznikiem do nauki języka polskiego dla początkujących na poziomie A1, jednak najściślej jest powiązana z materiałami serii „POLSKI krok po kroku".

- **Każdy tomik zawiera 5 modułów po 2 teksty**, po których następują ćwiczenia leksykalno-gramatyczne sprawdzające umiejętność czytania ze zrozumieniem (klucz odpowiedzi na końcu książki).
- **Zawartość leksykalno-gramatyczna jednego modułu odpowiada jednemu rozdziałowi podręcznika „POLSKI krok po kroku 1"**, a porządek numeryczny jest zgodny z podręcznikiem (patrz: spis treści, s. 5).
- Proste, pełne humoru historie uzupełniają wiedzę o znanych już i lubianych bohaterach serii, a także wprowadzają nowe, barwne postacie.
- **Tłumaczenia trudniejszych słów i zwrotów znajdują się na marginesie, a każdy moduł zakończony jest słowniczkiem tematycznym** zawierającym leksykę do opanowania na tym etapie nauki; dodatkowo na końcu umieszczono słownik polsko-angielski zbierający materiał leksykalny z całego tomiku w porządku alfabetycznym.
- Słowniczki tematyczne zamykające poszczególne moduły są skonstruowane tak, aby maksymalnie ułatwić zapamiętanie nowo poznanego słownictwa, a dodatkowa kolumna na notatki pozwala na sprawdzenie, czy student dobrze zrozumiał słowo i umie poprawnie użyć go w kontekście.
- Teksty można czytać w dowolnej kolejności – każdy jest zamkniętą całością, jednak zaleca się czytanie ich krok po kroku ;-)
- **Pliki z nagraniami (do pobrania na e-polish.eu/czytaj)** pozwalają dodatkowo na ćwiczenie wymowy, intonacji oraz doskonalenie sprawności rozumienia ze słuchu.

Dalsze losy bohaterów można będzie śledzić w kolejnych tomach wchodzących stopniowo na coraz wyższy poziom, wymagający od czytelnika znajomości bardziej zaawansowanych struktur gramatycznych i bogatszego słownictwa.

Mamy nadzieję, że nasza nowa seria spodoba się Państwu i okaże się przydatna na zajęciach.

Autorka i Wydawca

FOR STUDENTS

Are you starting to learn Polish? Do you like reading, but don't know what book to go for? Discover the stories from the everyday life of the popular characters introduced in the series 'POLSKI krok po kroku' – Mami, Javier, Angela, Tom and Uwe – as well as the Maj and Nowak families. See how their relationships intertwine. Accompany them to learn the Polish language, discover Poland, explore the similarities and differences between the cultures of different countries, and simply have fun!

- **In each book, you will find 5 modules with 2 stories** as well as exercises consolidating the grammatical and lexical material from a given text (answer key included at the end of the book).

- No matter what textbook you use on a daily basis – the table of contents will tell you what grammatical and lexical material you can consolidate by reading a given module. If you learn using books from the series 'POLSKI krok po kroku', it is worth knowing that each module corresponds to one lesson from Textbook 1.

- **Texts are written in a very simple, but naturally-sounding language.** You can read them in any order – each one contains a full story. However, we recommend reading them 'krok po kroku' – step by step ;-)

- **You will find translations of more advanced words and phrases in the margin**, and so your reading will not be disrupted.

- **After each module you will find a glossary containing the lexical material you should master at this level.** It will facilitate learning and revision of vocabulary. You will also find some space for your notes (ask your teacher to assess your ability to use the newly acquired vocabulary correctly in context).

- **You can also use the Polish-English glossary at the end of the book**, where the lexical material from the whole book has been collected in alphabetical order.

- By listening to the recordings, you can improve your listening skills or practise pronunciation and intonation on your own.

If you like these simple stories, follow the ups and downs of their characters in subsequent volumes and move on to higher levels together with them!

NAGRANIA
RECORDINGS

Pobierz nagrania na:
e-polish.eu/czytaj

e-polish

KOD
CODE F832-2GA9-91XC

1 Profil

tylko *only*
dzwonek *door bell*
u siebie *by oneself*

Puk, puk! *Knock! Knock!*
Mogę? *Can I?*
już *just*
jeszcze coś *something more*
randka *date*

konto *account*
ktoś *somebody*
pukać *knock*

opis *description*
krytycznie *critically*
pomysł *idea*
zdziwiony *surprised*
wszyscy *all, everybody*
zobaczyć *see*
opalać się *sunbathe*
inny *another, other*
przerywać *interrupt*
drzwi w drzwi *next door*

pożyczać *borrow*
I już! *And that's it!*

nudny *boring*

– Ding dong!

Tylko gospodarz, pan Maj, słyszy **dzwonek**. Otwiera drzwi.

– Angela, miło cię widzieć! – mówi z entuzjazmem. – Mami jest **u siebie**, rozmawia przez internet z rodzicami. Ale dobrze, że jesteś. Dzisiaj twoja koleżanka chodzi od pokoju do pokoju i się nudzi. I jest trochę..., nie wiem... smutna?

– **Puk, puk! Mogę?** – pyta Angela i energicznie wchodzi do pokoju. – Co robisz, rozmawiasz?

– Tak, ale **już** kończę – Mami mówi **jeszcze coś** po japońsku i zamyka komputer. Angela nie pyta o nic. Wie, że Mami nie lubi rozmawiać o rodzinie.

– Wiesz, że jestem na portalu **randkowym** dla singli, prawda? Możesz skomentować mój profil? – prosi Angela. – Bo może coś jest nie tak... Zero reakcji! To znaczy zero reakcji od fajnych chłopaków. A ty masz dystans i mówisz to, co myślisz.

Mami otwiera komputer, a Angela loguje się na **konto**. **Ktoś puka** do drzwi.

– Mogę? – pyta Karolina. – Co robicie, uczycie się?

– Nie. Oglądamy profil Angeli na portalu randkowym. Nie wiem, czy jest dobry, czy nie... – mówi Mami dyplomatycznie. Karolina przez moment ogląda zdjęcie i czyta **opis**.

– Angela, czy ty nie znasz ABC randkowania? – pyta **krytycznie**. – Zdjęcie profilowe to pierwszy krok do sukcesu! A to twoje zdjęcie w bikini i z tatą to nie jest dobry **pomysł**.

– Dlaczego? – pyta **zdziwiona** Angela. – Jesteśmy na wakacjach w Portugalii. **Wszyscy** mogą **zobaczyć**, że lubię podróżować, **opalać się**, pływać...

– Masz **inne** zdjęcie? – **przerywa** Karolina. – Albo nie, mam pomysł – robimy sesję! Widzę to tak: czarno-biała fotografia z profilu, może z kotem? Internet kocha koty! **Drzwi w drzwi** mieszka pan Nowak. Jego kot jest bardzo piękny i wiem, że lubi pozować. **Pożyczamy** Figaro na 20 minut **i już!** A sesja może być na balkonie. Teraz twoje hobby – piszesz, że lubisz tańczyć, spotykać się ze znajomymi i robić zakupy. Przepraszam cię, nie chcę być niemiła, ale wiesz... to trochę **nudne**!

Mami myśli, że jej hobby też nie jest oryginalne, bo lubi grać na komputerze, malować i słuchać muzyki rockowej, ale nic nie mówi. Słucha **z uwagą**, co mówią jej koleżanki.

z uwagą *with great interest*

- Lubię czytać książki, chodzić do kina i oglądać telewizję? - ironizuje Angela. - Może ja jestem nieinteresująca! A może wszyscy lubią to samo!

- Nonsens! - protestuje Karolina. - Szukasz interesującego chłopaka, więc możesz napisać, że lubisz malować graffiti, **kolekcjonować** karty, podróżować **autostopem**, biegać maratony, śpiewać gospel... Trochę fantazji, dziewczyno!

kolekcjonować *collect*
autostop *hitchhike*

Mami myśli, że to może nie w porządku pisać nieprawdę. Pyta o to Karolinę, ale ona mówi, że to tylko internet, tam możemy prezentować inne „ja". **Ważna** jest oryginalność!

- A teraz ten twój idealny chłopak. Wiesz, jaki **on ma być**? - Karolina kontynuuje lekcję.

ważny *important*
on ma być *he is supposed to be*

- Przystojny, inteligentny i musi uprawiać sporty **zimowe**, bo ja chcę się uczyć jeździć na nartach albo na snowboardzie. **Góry** są tak **blisko** i szkoda, że nie umiem jeździć... Aha, on na sto procent nie może palić. Słyszycie? Ktoś puka do drzwi.

zimowy *winter*

góra *mountain*
blisko *close, near*

- Mogę? - pyta pani Joanna. - Co robicie, oglądacie film? Może **przerwa** na pierogi?

przerwa *break (n.)*

- Mamo, moment! Teraz szukamy chłopaka dla Angeli!

- O, to ja też chcę! Może ten? Dobre zdjęcie, fajny opis: „Lubię jeździć konno, biegam na nartach, gram w szachy. Uczę się angielskiego, żeby czytać książki kryminalne w oryginale." Angela, **pasuje** do ciebie! - mówi pani Joanna. - I jest studentem, studiuje **prawo**. Idealny kandydat! A ile ma lat?

pasować *match*
prawo *law*

- 24 lata! **Za** młody! - mówi Angela z **dezaprobatą**.

- **Oj tam** „za młody!" A jakie ma to zdjęcie? - pyta Karolina.

za *too*
dezaprobata *disapproval*
oj tam *come off it!*

- Z profilu. Ma bardzo **rzymski nos**! Chyba jest na balkonie. Moment, to **wygląda** jak wasz balkon! No i jest kot! ▸

rzymski nos *hooked nose*
wyglądać *look like*

ćwiczenia
exercises

1

Proszę odpowiedzieć na pytania.
Answer the questions.

1. Kto otwiera drzwi Angeli? *Pan Grzegorz Maj.*
2. Z kim Mami rozmawia przez internet?
3. Co oglądają Mami, Angela i Karolina?

4. Jakie zdjęcie profilowe ma Angela?
5. Co Angela lubi robić na wakacjach?

6. Jaki jest kot Figaro?
7. Co lubi robić Mami?

8. Jaki ma być chłopak Angeli?

9. Czy „idealny kandydat" uprawia sport?

10. Jakie on ma zdjęcie profilowe?

2

Co pasuje? Proszę podkreślić odpowiedź zgodną z tekstem.
Underline the correct answer on the basis of the text.

1. Pan Grzegorz słyszy <u>dzwonek</u> | telefon.
2. Mami rozmawia przez internet z rodzicami | ze znajomymi.
3. Angela wie, że Mami nie lubi rozmawiać o muzyce | o rodzinie.
4. Zdjęcie profilowe to pierwszy krok do sukcesu | do kariery.
5. Fotografia może być z psem | z kotem.
6. Mami myśli, że jej hobby jest ciekawe | nudne.
7. Angela nie umie jeździć na nartach | konno.
8. Pani Joanna proponuje przerwę na film | na pierogi.
9. „Idealny kandydat" studiuje angielski | prawo.

3 Co pasuje?
Match the halves.

1.	otwierać	a	do pokoju
2.	wchodzić	b	telewizję
3.	mieszkać	c	do drzwi
4.	pukać	d	autostopem
5.	spotykać się	e	drzwi
6.	oglądać	f	gospel
7.	podróżować	g	ze znajomymi
8.	biegać	h	maratony
9.	śpiewać	i	drzwi w drzwi

4 Proszę uzupełnić.
Fill in the gaps.

1. Pan Grzegorz _słyszy_ (słyszeć) dzwonek i to on otwiera drzwi.
2. Mami .... (rozmawiać) z rodzicami.
3. – Puk, puk! .... (*ja* móc)? – pyta Angela.
4. – Co .... (*ty* robić), ... (*ty* rozmawiać)?
5. Angela .... (logować się) na konto.
6. – Co .... (*wy* robić), ... (*wy* uczyć się)?
7. .... (*my* oglądać) zdjęcie i czytamy jej profil.
8. Oni .... (móc) zobaczyć, że lubię podróżować.
9. .... (*ty* pisać), że .... (*ty* lubić) muzykę.
10. Karolina .... (kontynuować) lekcję.

5 Proszę opisać „idealnego kandydata".
Describe 'the perfect candidate'.

Jest _przystojny_ .

Interesuje się ....

....

Lubi ....

Uczy się ....

Studiuje ....

Jest młody, ma ....

Nie może .... !

2

kuchnia *kitchen*

ptak *bird*

pod nosem *under one's breath*

zmywać *wash up*
sprzątać *tidy up*
oczywiście *of course*

raz *once*
zmywarka *dishwasher*
natomiast *whereas*
porządek *order (n.)*
mieć swoje miejsce *have its right place*
obok *next to*
dzień w dzień *day in day out*
nie chce mi się *I don't feel like*
chyba *perhaps*

od *since, for*
grać pierwsze skrzypce *play the first fiddle*
mieć rację *be right*
który *which, that*
strona *page*
bzdura *nonsense*

Zofia i Felicjan Nowakowie siedzą w **kuchni** i rozmawiają.

– Dlaczego zamykasz drzwi balkonowe? – pyta Felicjan. – Nie widzisz, że słucham, jak **ptaki** śpiewają?

– Aha, słuchasz! Ty nie słyszysz nawet syreny policyjnej – mówi Zofia **pod nosem**.

– Co mówisz?

– Mówię, że lubię być emerytką. Nic nie muszę, wszystko mogę!

– Wszystko możesz, a siedzisz w domu i nic nie robisz – komentuje z ironią Felicjan.

– Ja nic nie robię?! – irytuje się Zofia. – A kto robi zakupy, gotuje, **zmywa**, **sprząta**?! Nie mam czasu, żeby się nudzić – non stop robię coś w domu, a ty **oczywiście** umiesz tylko krytykować!

– Moment. Prawda jest taka, że to nasz syn robi zakupy, gotujesz coś nowego **raz** na trzy dni, a zmywa **zmywarka** – protestuje Felicjan. – **Natomiast** sprzątać, hm, wiem, że bardzo lubisz. W domu mamy **porządek** na medal! À propos porządku: nie wiesz, gdzie są moje okulary?

– A widzisz! – mówi z satysfakcją Zofia. – Proszę sto razy: okulary **mają swoje miejsce** tam, **obok** lampy. A ty oczywiście nie słuchasz, co ja mówię i **dzień w dzień** szukasz albo okularów, albo komórki, albo kluczy, albo...

– Faktycznie. Nie wiem, gdzie są moje okulary ani gdzie jest moja komórka – Felicjan przerywa Zofii. – Ale **nie chce mi się** teraz szukać... O, tu są okulary, ale **chyba** twoje, bo są czyste i wszystko widzę.

– Felicjan!!!

Felicjan nie słucha i kompletnie ignoruje to, co mówi jego żona. Robi tak **od** sześćdziesięciu lat i wie, że to dobra metoda. Zofia **gra pierwsze skrzypce** w rodzinie i to ona musi **mieć rację**. Więc Felicjan otwiera kolorowy magazyn, **który** leży na stole i ogląda metodycznie – **strona** po stronie.

– Dlaczego dziennikarze piszą takie **bzdury**? – pyta, kiedy Zofia już nic nie mówi. – O, tu na przykład: „Jak nie mieć

cellulitu? Magiczny efekt **kuracji** kawą". Co to jest „cellulit"? Ja też to mam? Taka kuracja bardzo mi pasuje!

– Nie, ty nie masz – mówi **lodowatym** tonem Zofia. – Ty masz sklerozę i nie pamiętasz, gdzie leżą twoje **rzeczy**. Masz też chore **serce**, więc dzisiaj nie kawa, tylko woda.

Felicjan nie reaguje – czyta i komentuje **następny** artykuł.

– „Pływam jak ryba, więc kocham **morze**. Woda jest trochę **zimna**, ale może nie wszyscy wiedzą, że to jest zdrowe. A w hotelu Bryza **czuję się** jak u siebie w domu…". To **głupie**! Dlaczego to kupujesz? – pyta z dezaprobatą.

– Oj tam, czytam to tylko, kiedy czekam u lekarza albo u fryzjera. Oglądam też zdjęcia, bo są ładne. To na przykład jest ta aktorka, pamiętasz? No ta… wysoka blondynka, gra w tym **serialu** o lekarzach, no wiesz… Tam też gra ten przystojny aktor, jak on się nazywa? **Mam to na końcu języka**…

– I to ja mam sklerozę? **Ciekawe, naprawdę** ciekawe – mówi z ironią Felicjan i **czyta dalej**. – O, to może być interesujące: „Opera Narodowa w Warszawie – spektakularna premiera. Znany i popularny **skrzypek** Olaf Nowak prezentuje nowy **tatuaż** – serce i inicjały A.B. Czy to jego nowa dziewczyna?" – czyta z zainteresowaniem.

– Co? Możesz powtórzyć? – Zofia nie ma okularów i nie widzi dobrze fotografii.

– To Olaf, nasz **wnuk**! – Felicjan **pokazuje** zdjęcie. – Ma tatuaż! Serce!

– Gdzie jest moja komórka? – Zofia nerwowo szuka telefonu w torbie.

– Zosiu! Olaf ma 33 lata! Może robić, co chce!

– Nie, nie może – Zofia czuje, że **zaraz** eksploduje. – Felicjan, nie słyszysz? Ktoś dzwoni do drzwi!

Felicjan nic nie mówi, wychodzi z kuchni i otwiera drzwi.

– Dzień dobry, **dziadku**. **Babcia** w domu? ▸

kuracja	*treatment*
lodowaty	*icy*
rzecz	*thing*
serce	*heart*
następny	*next*
morze	*sea*
zimny	*cold*
czuć się	*feel*
głupi	*silly*
serial	*TV series*
mieć coś na końcu języka	*on the tip of one's tongue*
ciekawy	*interesting*
naprawdę	*really, truly*
czytać dalej	*keep reading*
skrzypek	*violinist*
tatuaż	*tattoo*
wnuk	*grandson*
pokazywać	*show (v.)*
zaraz	*in a moment*
dziadek	*grandpa*
babcia	*grandma*

ćwiczenia
exercises

2

1

Prawda (P) czy nieprawda (N)? Dlaczego?
True (P) or false (N)? Why?

	P	N
1. Zofia i Felicjan siedzą w pokoju.		✓
2. Zofia już nie pracuje.		
3. Ona bardzo nie lubi sprzątać.		
4. Felicjan wie, gdzie są jego okulary.		
5. On bardzo lubi kawę.		
6. Olaf Nowak jest muzykiem.		
7. Olaf to wnuk Zofii i Felicjana.		

2

Proszę uzupełnić bezokoliczniki.
Fill in with the infinitives.

1. drzwi, okno – z_amykać_
2. w kuchni, w domu – s i _ _ _ _ _ _ _ _
3. czas, porządek, swoje miejsce – m _ _ _ _
4. okularów, komórki, kluczy – s z _ _ _ _ _ _
5. zakupy, zdjęcia – r _ _ _ _ _ _
6. w serialu, na skrzypcach – g _ _ _ _ _
7. artykuł – c z _ _ _ _ _ _ albo p _ _ _ _ _ _
8. zdjęcia, magazyn – o _ _ _ _ _ _ _ _ _
9. u lekarza, u fryzjera – c z _ _ k _ _ _
10. do drzwi, do wnuka – d z _ _ _ _ _ _ _ _

3

Gdzie są słowa - czasowniki?
Find the verbs.

4 Proszę uzupełnić.
Fill in the gaps.

1. Zofia i Felicjan _siedzą_ (siedzieć) w kuchni
   i .... (rozmawiać).
2. Zofia .... (zamykać) drzwi balkonowe.
3. Ty nie .... (słyszeć) syreny policyjnej!
4. .... (*ja* lubić) być emerytką.
5. Nie .... (*ja* wiedzieć), gdzie jest moja komórka.
6. Twoje okulary są czyste i wszystko .... (*ja* widzieć).
7. Dlaczego oni .... (pisać) takie bzdury?
8. Felicjan nie .... (reagować), ... (czytać)
   i .... (komentować) następny artykuł.
9. Dlaczego to .... (*ty* kupować)?
10. Olaf .... (prezentować) nowy tatuaż.

5 Proszę uzupełnić bezokoliczniki.
Fill in with the infinitives.

1. irytacja – _irytować się_
2. krytyka – ....
3. protest – ....
4. komentarz – ....
5. prezentacja – ....
6. eksplozja – ....

6 Jaki to idiom?
What's the idiom?

pływam | gram | czuję się | mówię | mam | mam ✓

1. _Mam_ porządek na medal.
2. .... coś pod nosem.
3. .... pierwsze skrzypce.
4. .... to na końcu języka.
5. .... jak ryba.
6. .... jak u siebie w domu.

słowniczek
glossary

	polski	English	your notes
czasownik *verb*	**biegać**	*run*	....
	chodzić	*go*	....
	gotować	*cook*	....
	jeździć	*drive, ride*	....
	kochać	*love*	....
	kupować	*buy*	....
	malować	*paint*	....
	móc	*can*	....
	musieć	*must*	....
	nudzić się	*be bored*	....
	oglądać	*watch*	....
	otwierać	*open*	....
	pisać	*write*	....
	pływać	*swim*	....
	podróżować	*travel*	....
	pracować	*work*	....
	słuchać	*listen*	....
	spotykać się	*meet*	....
	spacerować	*walk*	....
	szukać	*look for*	....
	śpiewać	*sing*	....
	umieć	*can, be able to*	....
	uprawiać sport	*practise a sport*	....
	zamykać	*shut, close*	....
rzeczownik *noun*	**syn**	*son*	....
	córka	*daughter*	....
	mąż	*husband*	....
	żona	*wife*	....

CZYTAJ

rodzice	*parents*	....
rodzina	*family*	....
chłopak	*boy, boyfriend*	....
dziewczyna	*girl, girlfriend*	....
gospodarz	*host*	....
gospodyni	*hostess*	....
znajomy	*friend*	....
język obcy	*foreign language*	....
narty	*skis*	....
piłka nożna	*football*	....
rower	*bicycle*	....
szachy	*chess*	....
zakupy	*shopping*	....
zdjęcie	*photo*	....

inne *other*

mój	*my, mine*	....
twój	*your, yours*	....
jego	*his*	....
jej	*her, hers*	....
nasz	*our, ours*	....
wasz	*your, yours*	....
ich	*their, theirs*	....
może, być może	*maybe*	....
może być	*It's OK.*	....
jasne!	*sure!*	....
szkoda!	*What a pity!*	....

3

Milion

 03

iść *go*
zawsze *always*

najpierw *first*
można *you can*
głośno *loud*

nieczytelny *illegible*

lekarstwo, lek *medicine*
jedno po drugim
    one after the other
później *later*
pełny *full*
dodawać *add*
pół *half*
emerytura *pension*
cicho *quietly*
po co *what for*
tabletka *pill*
pyszny *delicious*

liczyć *count*
na miejscu *to eat here*
szarlotka *apple pie*
czegoś *something*
taksówka *taxi*
dworzec *station*
wracać *return*
pociąg *train (n.)*
tona *tone*
smok *dragon*

Dzisiaj Felicjan **idzie** na duże zakupy. Oczywiście ma listę zakupów, którą **zawsze** robi jego żona. To, co jest ważne, Zofia pisze czerwonym długopisem.

Felicjan **najpierw** idzie do bankomatu, bo w małych sklepach **można** płacić tylko gotówką. Nie chce iść do galerii handlowej, bo tam jest za gorąco i za **głośno**. Lista Zofii jest długa, a punkt pierwszy to apteka.

– Recepty są **nieczytelne** – mówi nowa, bardzo młoda farmaceutka - nie mogę nic przeczytać. Czy może pan wie, co tu jest napisane?

Felicjan oczywiście zna wszystkie swoje **lekarstwa**, więc dyktuje **jedno po drugim**. Pięć minut **później** torba **pełna leków** leży obok kasy.

– Płaci pan dwieście dziewięćdziesiąt złotych. Czy to wszystko? – pyta głośno farmaceutka i **dodaje**. – Dzisiaj mamy promocję na lekarstwa na serce.

– A jest eliksir młodości? **Pół emerytury** na leki! – Felicjan płaci kartą i **cicho** komentuje pod nosem. – Rozumiem: witamina C i ewentualnie aspiryna, ale **po co** te inne **tabletki**?

Potem wchodzi do optyka po okulary dla Zofii i do piekarni. Felicjan lubi to miejsce, bo mają tu nie tylko dobre pieczywo, ale też, jak w cukierni, aromatyczną kawę i **pyszne** ciasto**.**

– Dzień dobry, jaki chleb pani poleca? – pyta.

– Dziś polecam chleb słowiański. Naturalny, bez chemii. Ale jest drogi – kosztuje trzynaście złotych za kilogram.

Felicjan **liczy** drobne w portfelu.

– Proszę pół chleba. A **na miejscu** czarną kawę i **szarlotkę**.

Kiedy po piętnastu minutach Felicjan wychodzi z piekarni, spotyka na ulicy swojego syna, Amadeusza.

– Dzień dobry, tato! – Amadeusz nerwowo szuka **czegoś** w torbie. - Czekam na **taksówkę**, jadę na **dworzec**. Konstancja **wraca pociągiem** z Warszawy, ma **tonę** bagażu... Robisz zakupy? Możesz mi kupić papierosy? Wiesz, te moje ulubione są tylko w twoim kiosku.

– Nie mogę. Palisz jak **smok** – mówi Felicjan z dezaprobatą.

CZYTAJ

– Ja i twoja matka **martwimy się** o twoje zdrowie, bo…

– Tato, jestem **pełnoletni** – przerywa Amadeusz. – O, moja taksówka. Pa!

Felicjan idzie dalej. Następny punkt listy to kiosk i gazeta – w piątek jest program telewizyjny. Na ulicy leży mała **moneta**: to grosz **na szczęście**! Felicjan myśli, że to bardzo dobry pretekst, żeby zagrać w LOTTO.

– Co słychać, panie Felicjanie, jak zdrowie? – pyta kioskarka, pani Basia. Felicjan jest tutaj specjalnym klientem, bo zawsze ma czas na rozmowę z panią Basią. **Czasami** kupuje jej tulipana albo różę w kwiaciarni obok.

– Dziękuję, pani Basiu, **stara bieda**. Skleroza, reumatyzm, demencja. Ale pani – **słowo honoru** – wygląda jak milion dolarów!

– Ach, pan to jest **prawdziwy** dżentelmen! Pana żona to ma szczęście! – mówi pani Basia z **kokieterią**. – Gazeta, tak? Czy **coś jeszcze?**

– Poproszę **jeszcze** kupon LOTTO. Ma pani ołówek albo długopis? O, widzę, tam leży. Oj, nie mam okularów, te numery są takie małe… To może ja dyktuję, a pani pisze, dobrze?

– Oczywiście, już piszę. Jakie numery?

– Zawsze te same, pani Basiu. Trzy, bo mam troje dzieci. Cztery, bo to moja **szczęśliwa liczba** w horoskopie. Dziewięć i dziesięć – **urodziny** żony, trzydzieści trzy – numer domu, gdzie mieszkam od dziecka. I czterdzieści cztery.

– Czy ta liczba też jest symboliczna? – pyta z zainteresowaniem kioskarka.

– E, nie – to mój numer **buta** – mówi Felicjan. – Zero symboliki.

– A ma pan plan na ten milion?

– Jasne! **Podróż** pociągiem Moskwa – Paryż! Pierwsza klasa, komfort i luksus. Szampan, kawior, steki z kangura – **bez** oglądania cen i pytania „ile to kosztuje?".

– A ma pan plan B? Bez miliona?

– Oczywiście – autobus pięćset trzy do domu. **Za darmo**! ▸

---

martwić się *worry (v.)*
pełnoletni *over 18 years old*

moneta *coin*
na szczęście *good luck*

czasami *sometimes*

stara bieda *same old stuff*
słowo honoru *word of honour*
prawdziwy *true*
kokieteria *coquetry, flirtatiousness*
coś jeszcze? *anything else?*
jeszcze *and*

szczęśliwa liczba *lucky number*
urodziny *birthday*

but *shoe*

podróż *journey*
bez *without*

za darmo *for free*

ćwiczenia
exercises

1

Kto to mówi: klient (K) czy sprzedawca (S)?
Who says it: a client (K) or a shop assistant (S)?

	K	S
1. Czy można płacić kartą?	✓	
2. Tylko gotówką.		
3. Czy to wszystko?		
4. Płaci pan 290 złotych.		
5. Ile płacę?		
6. Co pan poleca?		
7. Czy ma pan drobne?		
8. Czy coś jeszcze?		
9. Ile to kosztuje?		
10. Proszę bilet ulgowy.		

2

Proszę uzupełnić zgodnie z tekstem.
Fill in the gaps on the basis of the text.

1. W piątek Felicjan robi duże __zakupy__.
2. Ma _____ zakupów, którą zawsze robi jego żona.
3. W małych sklepach można płacić tylko _____.
4. W aptece Felicjan _____ 290 zł.
5. Potem wchodzi do optyka po _____ dla żony.
6. W piekarni kupuje _____, pije _____ _____ i je _____.
7. Na ulicy spotyka swojego _____ – Amadeusza.
8. Potem idzie do kiosku, żeby kupić _____.
9. Felicjan lubi _____ w LOTTO.
10. Felicjan chce _____ do Paryża.

CZYTAJ

3

Co pasuje?
Match the halves.

1. coś do pisania
2. lekarstwo
3. pieczywo
4. ciasto
5. transport
6. pieniądze
7. kwiaty
8. kiosk

a chleb
b długopis, ołówek
c papierosy, gazeta
d szarlotka
e tulipan, róża
f tabletka, aspiryna, witamina C
g drobne, moneta, cena
h taksówka, pociąg, autobus

4

Proszę uzupełnić (kogo? co?) i odpowiedzieć na pytania zgodnie z tekstem.
Fill in with 'kogo?', 'co?' and answer the questions.

1. *Co* Felicjan robi w piątek? *Duże zakupy.*
2. .... pije Felicjan? ....
3. .... spotyka Felicjan na ulicy? ....
4. Na .... czeka Amadeusz? ....
5. .... widzi Felicjan na ulicy? ....
6. W .... gra Felicjan, żeby mieć milion? ....

5

Proszę...
Can I have...

witaminę C,
....
....
....

4

Aukcja

 04

pić *drink (v.)*
powtarzać *revise*
sam *on one's own*

uwaga *attention*
więc tak *well, so*
aukcja charytatywna
charity auction

Jest piątek, studenci mają krótką przerwę. **Piją** herbatę, coś oglądają, Uwe **powtarza** gramatykę, a Javier robi pracę domową na następną lekcję. Szkoda, że nie robi **sam** – ma książkę Angeli i kopiuje ćwiczenie za ćwiczeniem.

– Hej, **uwaga**, mam ważną informację! – mówi głośno Angela. – Pamiętacie Karolinę Maj? **Więc tak**: Karolina ma chłopaka Patryka i razem organizują **aukcję charytatywną**. Pieniądze są na edukację dzieci z Ugandy.

– Patryk i Karolina mają fundację? A ile pieniędzy muszą zorganizować? – pyta praktyczny jak zawsze Uwe.

– Patryk ma pomysł, żeby zrobić „Aukcję Interesujących Rzeczy" w liceum Karoliny – mówi Angela. – Rzecz nie musi być nowa ani droga, ale musi mieć ciekawą historię. Cena minimalna to 5 złotych za jedną **sztukę**. Teraz szukają osób,

sztuka *item*
dać *give*
dać radę *manage*

które chcą **dać** rzeczy na tę aukcję. **Damy radę**?

W poniedziałek wszyscy studenci spotykają się w wolnej sali.

– Przepraszam – mówi Uwe. – W weekend zawsze jestem zajęty. Ale coś mam: ołówek jeszcze z **NRD**! To coś specjalnego dla kolekcjonera **pamiątek** komunizmu. A wy, co macie?

NRD *East Germany (GDR)*
pamiątka *souvenir*

– Ja mam kota, to znaczy origami, które nazywa się „kot". Papier jest specjalny, bo to są **nuty** z opery Mozarta. – Mami demonstruje muzycznego kota, a wszyscy oglądają jej pracę. Kot jest piękny!

nuta *music note*

– A dlaczego to nie pies? Państwo Maj mają psa, prawda? – pyta Javier.

– Tak – buldoga francuskiego. Lubię Karolinę i Karola, ich mamę i tatę, ale Lulu to mój **koszmar** – mówi Mami. – **Za to** bardzo lubię tego kota, który mieszka obok. Angela, a co ty masz na aukcję?

koszmar *nightmare*
za to *but*

– Ha! To coś ekstra! Mam książkę – Dante po włosku, edycja limitowana. Jest też stempel z biblioteki, ale stary i nieaktualny – książka na sto procent jest moja, z aukcji internetowej.

– Znacie francuską komedię „**Cyrk**"? – pyta nowy student, Pierre. – Ja mam **rekwizyt** z tego filmu – kostium klauna.

cyrk *circus*
rekwizyt *stage prop*

CZYTAJ

– A ja mam jeszcze małą **butelkę** od Karola – mówi Mami.
– To rekwizyt ze szkolnego spektaklu. Grają **jakąś** rosyjską komedię kryminalną, **dlatego** etykieta jest po rosyjsku. Nic nie rozumiem, ale ten alfabet jest piękny! Nie tak piękny jak japoński, ale…

– **Mam nadzieję**, że to nie jest koktajl Mołotowa – przerywa Angela. – Znam Karola, on ma specyficzne **poczucie humoru**.

– A ja mam stary portfel – mówi Tom. – Może nic specjalnego, ale jest **markowy**. Z Paryża! To pamiątka rodzinna, ale ja nie jestem sentymentalny. W portfelu jest bonus: banknoty i monety ze Szwecji i z **Wielkiej** Brytanii, bo mam tam rodzinę. To taki symboliczny gest: bogata Ameryka i bogata Europa dla biednej Afryki…

– To idealnie, bo ja mam **prawie** markową torbę na te wszystkie rzeczy – mówi Javier. – To torba mojej gospodyni, ale myślę, że to nie problem. Na bazarach turyści kupują te torby za grosze. O, proszę, to moje prawie markowe okulary – wyglądają jak oryginał, a kosztują 30 złotych. A ja na aukcję mam tę gazetę, proszę bardzo. Strona numer 13.

Angela otwiera magazyn, widzi kolorową fotografię, ale nic nie rozumie, bo tekst jest po portugalsku.

– To mój kuzyn z Brazylii. On ma małą orkiestrę – **wyjaśnia** Javier – a widzisz tutaj? To ja! Gram na akordeonie!

– Javier, nie myślisz, że to trochę mało na naszą aukcję? – pyta jak zawsze sceptyczna Angela.

– Myślisz, że zdjęcie jest za małe? Mam jeszcze tę fotografię: ja i rodzice w Paryżu. Proszę, na fotografii mam **podobne** okulary jak dziś! Mogę **podpisać** zdjęcie, masz długopis? Może mój autograf to dobra inwestycja?

– Co za megaloman! – myśli Angela, ale głośno mówi:

– Masz rower z bagażnikiem, więc możesz odtransportować torbę z rzeczami na aukcję do liceum Karoliny.

– To długa **droga**, ale dasz radę. Tylko **uważaj** na torbę! – prosi Uwe. ▸

butelka *bottle*
jakiś *a, any*
dlatego *so*

mieć nadzieję *hope (v.)*
poczucie humoru
  a sense of humour
markowy *brand name*

wielki *great*

prawie *almost*

wyjaśniać *explain*

podobny *similar*
podpisać *sign (v.)*

droga *way*
uważać *be careful*

ćwiczenia
exercises

1

Proszę odpowiedzieć na pytania.
Answer the questions.

1. Jaki jest dzień tygodnia? *Jest piątek.*
2. Co robią studenci w czasie przerwy?
3. Jaką informację ma Angela?
4. Jaki pomysł ma Patryk?
5. Czy Mami lubi rodzinę państwa Maj?
6. Co ma Angela na aukcję?
7. Co jest w portfelu Toma?
8. Czy Javier ma oryginalne markowe okulary?
9. Kto jest na fotografii z Paryża?
10. Kto ma rower z bagażnikiem?

2

Co pasuje? Proszę wybrać odpowiedź zgodnie z tekstem.
Underline the correct answer on the basis of the text.

1. Studenci mają długą | krótką przerwę.
2. Javier robi pracę domową | herbatę.
3. Angela ma ważną informację | zeszyt Javiera.
4. Karolina i Patryk organizują aukcję charytatywną | internetową.
5. Uwe ma długopis | ołówek.
6. Mami demonstruje papierowego psa | kota.
7. Angela ma włoską książkę | gazetę.
8. Klasa Karola gra francuską | rosyjską komedię kryminalną.
9. Tom ma starą markową torbę | stary markowy portfel.
10. Javier ma rower | samochód.

CZYTAJ

3   **Proszę dopisać dowolny pasujący przymiotnik w bierniku.**

Fill in the gaps with any adjective in Accusative.

1. Studenci mają _krótką_ przerwę.
2. Oni zawsze piją _____ herbatę.
3. Karolina ma _____ chłopaka.
4. Państwo Maj mają buldoga _____.
5. Czy znasz jakąś _____ komedię?
6. Javier ma _____ torbę.
7. Angela ogląda _____ fotografię.

4   **Proszę uzupełnić.**

Fill in the gaps.

1. Javier robi _pracę domową_ (praca domowa) na następną lekcję.
2. Karolina ma _____ (chłopak Patryk).
3. Rzeczy mają _____ (ciekawa historia).
4. Państwo Maj mają _____ (mały pies).
5. Mami lubi _____ (Karol) i jego _____ (tata).
6. Ona lubi _____ (ten kot).
7. Tom ma _____ (stary portfel).
8. Javier ma _____ (ta fotografia).

5   **Ile kosztują te rzeczy?**

How much are these things?

1. Cena minimalna to _pięć złotych_ (5) za jedną sztukę.
2. Bilet do kina kosztuje _____ (22).
3. Bilet normalny do teatru – _____ (50).
4. Bilet na koncert kosztuje _____ (180).
5. Bilet VIP do opery kosztuje _____ (200).
6. Torba – _____ _____ (364).
7. Okulary kosztują _____ (500).
8. Rower kosztuje _____ (900).

słowniczek
glossary

polski	English	your notes
pytanie *question*		
kogo?	*who? (Accusative)*	....
co?	*what?*	....
przymiotnik *adjective*		
krótki	*short*	....
długi	*long*	....
wolny	*free*	....
zajęty	*busy*	....
drogi	*expensive*	....
tani	*cheap*	....
bogaty	*rich*	....
biedny	*poor*	....
gorący	*hot*	....
zimny	*cold*	....
normalny	*full price*	....
ulgowy	*reduced price*	....
ulubiony	*favourite*	....
czasownik *verb*		
kosztować	*cost*	....
liczyć	*count*	....
płacić	*pay*	....
polecać	*recommend*	....

ciasto	*cake*	....
kwiat	*flower*	....
lista	*list*	....
papierosy	*cigarettes*	....
pieczywo	*bread*	....
banknot	*banknote*	....
bankomat	*cashpoint*	....
cena	*price*	....
drobne	*loose change*	....
gotówka	*cash*	....
moneta	*coin*	....
pieniądze	*money*	....
portfel	*wallet*	....
apteka	*chemist's*	....
biuro podróży	*travel agent*	....
cukiernia	*cake shop*	....
kiosk	*newsagent*	....
kwiaciarnia	*flower shop*	....
optyk	*optician*	....
piekarnia	*bakery*	....
sklep	*shop*	....

po	*after*	....

Dieta

ankieta *survey*

sam *alone*
odpowiadać *answer*
tak *so*

dokładnie *precisely*
dzień po dniu *day by day*
każdy *every*
nie na moje zęby
   my teeth are not
   good enough
udawać *pretend*

parówka *frankfurter*

znowu *again*
targ *market*

to nigdy nie jest to
   it is never right
jajecznica *scrambled*
   eggs
dużo *a lot*

ryzyko *risk (n.)*

paczka *box*

śmierć *death*
kanapka *sandwich*

– Dzień dobry, dzwonię z firmy Suplo. Robię **ankietę** na temat diety Polaków. Czy ma pan czas i ochotę na rozmowę?

Felicjan jest **sam** w domu i trochę się nudzi, więc chętnie **odpowiada**.

– Jasne! Dieta to bardzo ważna rzecz – moja żona też **tak** mówi. Słucham panią?

– Co pan je na śniadanie? Proszę opisać **dokładnie** – **dzień po dniu**, dobrze?

– Chleb kupuję w piątek, więc w **każdy** poniedziałek chodzę po świeże bułki, bo stary chleb to **nie na moje zęby**...

Felicjan tak naprawdę ma zdrowe i mocne zęby, ale czasami lubi **udawać** chorego i słabego.

– Fatalnie! – mówi kobieta, ale to nie jest reakcja na zęby, a na informację o białym pieczywie. – Gluten!!! A z czym pan je tę bułkę?

– Z masłem, z chudą szynką i z majonezem. Żona jeszcze je **parówkę** z musztardą i z keczupem.

– I ze złym cholesterolem!

Felicjan **znowu** słyszy dezaprobatę, ale mówi dalej:

– We wtorek robię zakupy na **targu**, więc jemy jajka. To znaczy ja jem jajko na twardo, a żona jajko na miękko, ale zawsze dyskutujemy, ile minut gotować i **to nigdy nie jest to**. Ja i tak wolę **jajecznicę** z kiełbasą, cebulą i papryką. **Dużo** soli, dużo pieprzu, prawdziwe męskie śniadanie!

– Naturalnie jajka mają certyfikat?

– Co? No nie, ale zawsze kupuję u tej samej kobiety. Ona, wie pani, tak prywatnie to robi. Kupuję tam od lat!

– Wysokie **ryzyko** salmonelli. A w środę?

– Chodzę na gimnastykę i jem tylko płatki śniadaniowe.

– Oczywiście bez cukru?

– Płatki? Moment... – Felicjan ogląda **paczkę**, która leży na stole. – Z cukrem, oczywiście.

– Biała **śmierć**!

– À propos „biały", żona w środę je **kanapkę** z białym serem, ten ser kupuję u tej samej kobiety, co jajka. Zero chemii!

– I zero gwarancji higieny! Bakterie!!!

– W czwartek robimy sałatkę: albo tradycyjną **jarzynową**, albo pomidora i ogórka ze śmietaną – kontynuuje Felicjan.

– Zła kompozycja. A czy państwo kupują warzywa bio?

– Dobre pytanie, nie wiem. Nasz syn kupuje warzywa na targu. Na pewno są bardzo brudne, to może bio? W piątek tradycyjnie jemy rybę. Ja lubię **tuńczyka** w oleju, a żona woli sardynki – mówi Felicjan, ale już wie, że pani to też skrytykuje. I ma rację.

– **Tłuszcz**!

– W sobotę za to mamy **lekkie** śniadanie: kakao z **bitą śmietaną** i ciasto: domowe **drożdżówki** z dżemem. Mniam!

– Ale miliony kalorii! A co państwo jedzą w niedzielę?

– Ha, w niedzielę to jest **święto**! Żona jeszcze **śpi**, a ja robię specjalne śniadanie, takie eleganckie! Ładne talerze, srebrne **sztućce**, białe serwetki, porcelanowe filiżanki, świeże kwiaty... Serwuję tosty – to moja specjalność. Jemy też sałatę, **jajka sadzone**, **kiszone** ogórki, **marynowaną** paprykę i...

– **Mało** witamin i minerałów – przerywa kobieta. – No a teraz napoje: ile litrów pan pije?

– Litrów? Już nie piję, nie to zdrowie... Aaa, nie **chodzi o** alkohol? Piję mocną kawę **rano**, sok owocowy do obiadu i herbatę z cytryną do kolacji. Żona woli herbatę z mlekiem.

– Sok naturalny, to znaczy 100% owoców? A jaką kawę pan pije? Organiczną?

– Czarną, proszę pani. Bez mleka, bez cukru. A sok piję z kartonu, moment... – Felicjan ogląda karton. – Tu piszą, że 100% natury. Widzi pani? Tani, ale dobry.

– No dobrze, a teraz woda. Jaką wodę pan pije?

– Wodę? A czy ja jestem **koniem**, żeby pić wodę? Tylko czasem, kiedy jest gorąco, piję wodę z lodem, **miętą** i limonką.

– I **ostatnie** pytanie: czy zdrowie jest dla pana ważne? **Jeśli tak**, proponuję suplementy diety naszej firmy. Bo oczywiście chce pan długo **żyć**? Halo, dlaczego pan **się śmieje**?! ▸

jarzynowy *made of vegetables*

tuńczyk *tuna*

tłuszcz *fat*
lekki *light*
bita śmietana *whipped cream*
drożdżówka *bun*
święto *celebration*
spać *sleep (v.)*
sztućce *cutlery*
jajko sadzone *fried egg*
kiszony *pickled*
marynowany *marinated, pickled*
mało *little, few*
chodzi o *as far as*
rano *in the morning*

koń *horse*
mięta *mint*
ostatni *last one*
jeśli tak *if so*
żyć *live*
śmiać się *laugh*

ćwiczenia
exercises

1

-owy? -owa? -owe?
Fill in with '-owy', '-owa', '-owe'.

1. śniadanie ▸ płatki *śniadaniowe* ....
2. musztarda ▸ sos ....
3. jarzyna ▸ sałatka ....
4. dom ▸ .... drożdżówka
5. porcelana ▸ .... talerz
6. owoc ▸ sok ....

2

Co nie pasuje?
Cross out the odd word.

1. ciasto – szarlotka | ~~tost~~ | drożdżówka
2. pieczywo – bułka | płatki śniadaniowe | chleb
3. wędlina – parówka | masło | szynka
4. warzywa – cebula | papryka | śmietana
5. owoce – cytryna | ogórek | limonka
6. ryby – lód | tuńczyk | sardynka

3

Proszę uzupełnić (biernik, narzędnik).
Fill in the gaps with Accusative and Instrumental.

JEŚĆ / PIĆ	CO?	Z CZYM?
1. płatki śniadaniowe ✓ + mleko	*płatki śniadaniowe*	
2. bułka + masło, szynka, majonez		
3. parówka + musztarda, keczup		
4. jajecznica + kiełbasa, cebula, papryka		
5. pomidor i ogórek + śmietana ✓		*ze śmietaną*

4

Synonim (=) czy antonim (≠)?
Synonym (=) or antonym (≠)?

1. świeży   ≠   nieświeży, stary
2. szczupły   =   chudy
3. mocny   słaby
4. biały   jasny
5. kaloryczny   dietetyczny

6. brudny   czysty
7. czarny   ciemny
8. miękki   twardy
9. zimny   gorący
10. organiczny   ekologiczny

5

Proszę uzupełnić.
Fill in the gaps.

1. Co Polacy *jedzą* (jeść) na śniadanie?
2. Czy _____ (mieć) pan ochotę na rozmowę?
3. Co pan _____ (jeść) na śniadanie?
4. Kiedy _____ (*ty* kupować) chleb?
5. Co _____ (*wy* woleć): tuńczyka czy sardynki?
6. W niedzielę _____ (*ja* serwować) tosty.
7. Ile litrów wody pan _____ (pić)?
8. Czy _____ (chcieć) państwo zdrowo i długo żyć?

6

Czy według ciebie te rzeczy są zdrowe (+), niezdrowe (–) czy nie bardzo zdrowe (+/–)?
Are these things healthy (+), unhealthy (–) or not very healthy (+/–), in your opinion?

1. białe pieczywo   +/–
2. parówka
3. jajko
4. cebula
5. cukier

6. sól
7. ryba
8. ciasto
9. miód
10. kiszony ogórek

Stół

witać *greet*
danie *dish*

smak *taste (n.)*

naczynie *kitchen utensil*
przygotować *prepare*
nakrycie *place setting*
zresztą *besides*
pałeczki *chopsticks*
dla nas *for us*
taki łatwy *so easy*
miliard *billion*
trudny *difficult*
jedzenie *eating*
drogi *dear*

poza tym *besides*
jednorazowy *disposable*
cały *whole*
życie *life*
szybko *quickly*
co kraj, to obyczaj
   every country has its
   own customs
nad *above*
który *which*
średni *medium*

– **Witam** państwa na kursie gotowania i serwowania **dań**. Nazywam się Teofil Nowak.

Grupa z zainteresowaniem obserwuje mężczyznę. Jest wysoki, przystojny, energiczny. Absolutnie nie wygląda na 55 lat!

– Jestem nie tylko kelnerem, ale i kucharzem amatorem – kontynuuje pan Teofil. – Oglądacie telewizję? To być może znacie mnie z programu „Kulinarny Geniusz". Ale możecie mi mówić na „ty", w kuchni wolę nieformalną atmosferę. Gotowanie to moja pasja – szukam nowych **smaków**, lubię eksperymentować. Dzisiaj lekcja pierwsza – perfekcyjny stół. Tutaj mamy **naczynia** i sztućce. Czy ktoś chce **przygotować** przykładowe **nakrycie**?

– Ja chcę – mówi Mami. – Dla mnie to czarna magia. **Zresztą** nóż, widelec – to takie barbarzyńskie. Dlaczego nie jecie **pałeczkami**? To jest bardziej naturalne!

– Umiesz jeść pałeczkami, bo robisz to od dziecka, ale **dla nas** to nie **takie łatwe**! – protestuje Angela.

– Dwa **miliardy** ludzi je pałeczkami, więc to nie może być **trudne**! A **jedzenie** to też filozofia, a nie tylko fizjologia, wiesz? – irytuje się Mami.

– O, przepraszam, moja **droga**. Ten argument to nie do mnie. Kupuję produkty bio, chodzę na protesty ekologów i jem, żeby żyć, a nie żyję, żeby jeść! – denerwuje się Angela. – **Poza tym jednorazowe** pałeczki są nieekologiczne, a sztućce masz na **całe życie**. No i jeść zupę pałeczkami? To takie nieapetyczne! Dlaczego nie jecie łyżką?

Dziewczyny mają ochotę na długą dyskusję, ale Teofil **szybko** przerywa debatę.

– **Co kraj, to obyczaj** – mówi. – Ta dyskusja nie ma sensu. Wracamy do tematu: tutaj jest duży talerz, a tu talerz na zupę. Po prawej stronie najpierw nóż, potem łyżka. Łyżeczka do kawy czy herbaty leży **nad** talerzem. Widelec – po lewej.

– Ale **który**? – Mami sceptycznie ogląda sztućce. – Tu jest cała rodzina: duży widelec, **średni** widelec, mały widelec, bardzo mały widelec...

– To jest uniwersalny widelec obiadowy, ten jest do sałaty, ten do **owoców morza**, a tamten do deseru – wyjaśnia Teofil.

owoce morza *seafood*

– Faktycznie, bardzo łatwe, normalnie **bułka z masłem** – mówi Mami z ironią. – Dlaczego to tak komplikujecie, co?

bułka z masłem *a piece of cake*

– Mam pytanie – przerywa Angela. – Czy to prawda, że w Polsce jecie rybę dwoma widelcami?

– Czasami ludzie tak jedzą – mówi Teofil. – Ale w restauracji nie polecam – to nieeleganckie. Do ryby mamy specjalne sztućce. A jak jeść spaghetti? Czy jest tu ktoś z Włoch?

– Nie ma, ale ja znam jedną Włoszkę – mówi Javier. – Gotuje genialny makaron. Jemy tylko widelcem, to niezła gimnastyka! Ona je bardzo estetycznie, ale kiedy ja jem, wszystko jest brudne od sosu. Ona mówi, że jem jak... cha, cha, cha! ... jak **świnka**! Ale mamy **serwetki**, więc jaki to problem?

świnka *piggy*
serwetka *table napkin, serviette*

– A mnie interesuje coś innego: czy w restauracji mogę jeść pizzę **rękami**? Dla mnie to naturalne. Sushi też chętnie jem **palcami** – pyta Tom.

ręka *hand (n.)*
palec *finger*

– Dla mnie to niehigieniczne – mówi Angela. – W domu możesz jeść, jak chcesz, ale w miejscu publicznym chyba są jakieś **reguły**, prawda? I myślę też, że ludzie w restauracji kompletnie nie respektują innych **gości** – głośno rozmawiają przez telefon, komentują jedzenie, no i piją za dużo.

reguła *rule (n.)*
gość *guest*

– O **właśnie**, następny temat to alkohol i generalnie napoje – Teofil znowu wraca do tematu.

właśnie *Oh well!*

– Może ja – mówi Javier. – To jest **kieliszek** na białe wino, ten – na czerwone. Tamten mały to kieliszek na wódkę, a ten na koniak. Ta **szklanka** może być na sok albo wodę, a tamta – na piwo. Jestem ekspertem! A tu mam coś praktycznego: oryginalny szwajcarski **scyzoryk**. Ma i **otwieracz** do butelek, i **korkociąg** do wina. Czy otwieramy teraz jakieś wino? I proszę o lekcję „Toasty", bo znam tylko „Na zdrowie!". ▸

kieliszek *(wine) glass*

szklanka *table glass*

scyzoryk *penknife*
otwieracz *bottle opener*
korkociąg *corkscrew*

ćwiczenia
exercises

 1

Prawda *(P)* **czy nieprawda** *(N)?*
True (P) or false (N)?

	P	N

1. Teofil Nowak pracuje w restauracji. — **P** ✓
2. On woli formalną atmosferę.
3. Mami myśli, że jedzenie pałeczkami jest trudne.
4. Dziewczyny dyskutują o różnych obyczajach.
5. W grupie jest jedna osoba z Włoch.
6. Tom pyta, czy w domu można jeść pizzę rękami.
7. Angela myśli, że goście w restauracji są kulturalni.
8. Javier to specjalista od napojów gorących.
9. Javier zna tylko jeden toast po polsku.

2

Proszę odpowiedzieć na pytania.
Answer the questions.

1. Jaki jest temat lekcji Teofila? *Stół i serwowanie dań.*
2. Jaki jest Teofil? Ile ma lat? Co lubi robić? ....
   ....
   ....
3. Co Mami myśli o jedzeniu pałeczkami? ....
   ....
4. Co Angela myśli o jedzeniu pizzy rękami? ....
   ....
5. Co robią ludzie w restauracji? ....
   ....
6. Kto jest ekspertem od alkoholu i kieliszków? ....
7. Jaki toast zna Javier? ....
8. Czym otwieramy wino? ....

CZYTAJ

3 Czym to jesz?
What do you eat it with?

1. kurczak — *Jem kurczaka sztućcami.*
2. pizza —
3. frytki —
4. zupa —
5. lody —
6. pierogi —
7. sushi —
8. spaghetti —
9. mięso —
10. ziemniaki —

4 Co pasuje?
Underline the correct answer.

1. co kraj, to obyczaj – mieć <u>różne</u> | takie same reguły
2. czarna magia – rozumieć coś | nie rozumieć czegoś
3. bułka z masłem – łatwy | trudny
4. jeść jak świnka (świnia) – ładnie | brzydko

5 Gdzie są słowa?
Find the words.

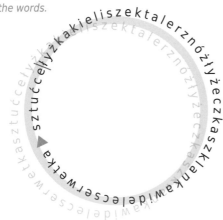

słowniczek
glossary

5 6

polski	English	your notes
śniadanie	*breakfast*	....
obiad	*dinner*	....
kolacja	*supper*	....
bułka	*bread roll*	....
chleb	*bread*	....
cukier	*sugar*	....
cytryna	*lemon*	....
jajko	*egg*	....
kiełbasa	*sausage*	....
margaryna	*margarine*	....
masło	*butter*	....
miód	*honey*	....
mleko	*milk*	....
ogórek	*cucumber*	....
pieprz	*pepper*	....
płatki	*cornflakes*	....
pomidor	*tomato*	....
ser	*cheese*	....
sól	*salt*	....
szynka	*ham*	....
tost	*toast*	....
wędlina	*cold cuts*	....
kasza	*groats*	....
kurczak	*chicken*	....
mięso	*meat*	....
surówka	*salad*	....
ziemniak	*potato*	....

rzeczownik *noun*

CZYTAJ

lody	*icecream*	....
lód	*ice*	....
napój	*drink (n.)*	....
sok	*juice*	....
filiżanka	*cup*	....
łyżka	*spoon*	....
łyżeczka	*teaspoon*	....
nóż	*knife*	....
talerz	*plate*	....
widelec	*fork*	....

przymiotnik *adjective*

ciemny	*dark*	....
jasny	*bright*	....
miękki	*soft*	....
twardy	*hard*	....
mocny	*strong*	....
słaby	*weak*	....
tłusty	*fatty*	....
chudy	*lean*	....
świeży	*fresh*	....

czasownik *verb*

jeść	*eat*	....
mieć ochotę na	*fancy*	....
pić	*drink*	....
woleć	*prefer*	....

inne *other*

chętnie	*willingly*	....

7

Targ

samoobsługa
self service
z kolei *unlike*

spóźnienie *being late*
po kolei *one after the*
other
stać *stand*
korek *traffic jam*
karetka *ambulance*
jechać *drive, ride*
strona *side*
Co za czasy! *These are*
hard times!
chwila *moment*
na szczęście *luckily*

napis *inscription*
reklama *advertisement*
kiczowaty *trashy, kitschy*
przyprawa *spice*
stoisko *stall*
sprzedawać *sell*
koszyk *basket*
cukinia *courgette*
sprzedawca *shop*
assistant

je *them*

W Krakowie są trzy albo cztery duże targi, ale Angela woli supermarkety, bo tam jest **samoobsługa**. Niestety, owoce i warzywa nie zawsze są tam świeże. **Z kolei** małe sklepy ekologiczne są drogie, a dzisiaj Angela robi duże zakupy na szkolny piknik. Teoretycznie wszystkie studentki mają robić te zakupy, ale tylko Angela jest punktualna.

– Gdzie one są? – myśli. – Rozumiem trzy, cztery minuty **spóźnienia**, ale dziesięć?!

– Piii! Piii! Piii! – **po kolei** przychodzą SMS-y, wszystkie prawie identyczne: „Przepraszam, ale autobusy i tramwaje **stoją**." „Masakra. Gigantyczny **korek**." „Korki jak w Bangkoku ;-("

Angela słyszy syreny policyjne, widzi też **karetki**, które **jadą** od **strony** szpitala. Obok rozmawiają dwie starsze panie.

– Znowu protesty, demonstracje... **Co za czasy!** – mówi jedna.

– E, nie. Gazety piszą, że prezydent jest dzisiaj w Krakowie – odpowiada druga.

Panie jeszcze przez **chwilę** komentują politykę, a potem idą w stronę okrągłego kiosku z gotowaną kukurydzą.

– Czekać czy nie czekać? Aaa, idę! – decyduje Angela. **Na szczęście** to ona ma pieniądze na zakupy, listę zakupów i trzy czy cztery duże niebieskie torby z napisem IKEA.

Kioski na tym targu są stare i brzydkie. **Napisy** i **reklamy** – **kiczowate**. Najpierw są mięsa i wędliny, potem ryby, dalej sery, jajka, **przyprawy**, a na końcu **stoiska**, gdzie **sprzedają** warzywa i owoce. Angela idzie w stronę stoiska, które nie pasuje do innych – jest kolorowe i naprawdę piękne: piramidy owoców, **koszyki** z warzywami, kwiaty. Stoisko nazywa się „Pod Kaktusami" i faktycznie – stoją tam dwa kaktusy!

– Czy są małe **cukinie** na grilla? – pyta Angela **sprzedawcę**.

– Oczywiście, tutaj. Są też kwiaty cukinii, chce pani? – sprzedawca jest bardzo miły i kontaktowy. – Są nie tylko dekoracyjne, ale i bardzo smaczne.

– Jakie piękne! – Angela ogląda podłużne, delikatne kwiaty. – Szkoda jeść. I kompletnie nie wiem, co się z tym robi!

Sprzedawca mówi, jak **je** przygotować, ale Angela nie bardzo

CZYTAJ

rozumie. Pyta, czy pan może wyjaśnić to po angielsku.

– Wie pani, mam **różne** talenty, ale języki obce to nie jest moja **mocna strona**. Uczę się i uczę, mam różne aplikacje w telefonie, robię ćwiczenia, czytam gazety po angielsku, mam nawet lekcje on-line – i dalej nic! Kiedy mam mówić... eh! **Głowa pusta** jak kapusta! – **żartuje** sprzedawca. – A pani jest z Anglii?

– Tak, ale mam polskie **korzenie**. Rodzina mojej mamy **pochodzi** z Polski. Jestem nauczycielką angielskiego, więc świetnie rozumiem te problemy. Musi pan dużo rozmawiać w naturalnych sytuacjach. Na przykład tutaj! Proszę **spróbować** pytać mnie po angielsku, co jeszcze chcę, czy to wszystko i tak dalej. **Akurat** nie ma **kolejki**, a ja czekam na koleżanki. Spróbujemy? A potem **zamieniamy się**: ja „sprzedaję" i rozmawiam z klientami po polsku.

Kiedy Mami i inne dziewczyny z grupy są już na targu, widzą Angelę, która stoi po drugiej stronie **lady** i czerwona jak burak konwersuje ze starszą panią.

– Ile kosztują te kartofle? – pyta klientka.

– Kartofle? – pyta zdziwiona Angela.

– Tu ma pani kartofle!

– Ach, ziemniaki! Wszystkie nasze produkty mają ceny na kartkach, o tutaj. Ziemniaki kosztują 2 złote za kilogram.

– Drogo. A ile kosztuje włoszczyzna?

– Włoszczyzna???

– Pani pierwszy dzień w pracy? – pyta krytycznie klientka.

– Włoszczyzna: marchewka, pietruszka, por, seler, kapusta, cebula, **natka**. Te kartki są tak małe, że nie widzę cen.

– A, jarzynka do zupy! Cztery pięćdziesiąt.

– Drogo – komentuje znowu klientka z **miną** kwaśną jak cytryna. – A jagody?

– Borówki kosztują 4 złote za **opakowanie** – mówi szybko sprzedawca, bo widzi, że Angela znowu nic nie rozumie.

– **Od razu widać**, że ta klientka nie jest z Krakowa! – dodaje **po cichu**. ‣

różny *different*
mocna strona *strong point*

głowa *head (n.)*
pusty *empty*
żartować *joke (v.)*
korzenie *roots*
pochodzić *come from*
spróbować *try*

akurat *actually*
kolejka *queue*
zamieniać się *swap*

lada *counter*

natka *parsley*

mina *face expression*

opakowanie *package*
od razu widać *you can see at once*
po cichu *quietly*

ćwiczenia
exercises

1

Prawda *(P)* czy nieprawda *(N)*?
True (P) or false (N)?

	P	N

1. Angela woli supermarkety, bo tam jest samoobsługa. ✓
2. Koleżanki Angeli nie są dziś punktualne.
3. Starsze panie idą do szpitala.
4. Angela musi czekać na koleżanki, bo nie ma pieniędzy.
5. Stoisko „Pod Kaktusami" oferuje mięsa i wędliny.
6. Sprzedawca świetnie mówi po angielsku.
7. Angela i sprzedawca zamieniają się rolami.
8. Angela rozumie wszystko, co mówi klientka.
9. Klientka mówi, że ceny są wysokie.

2

Jaka jest liczba mnoga?
What are the plural forms?

1. targ – *targi*
2. owoc –
3. warzywo –
4. stoisko –
5. koszyk –
6. cukinia –
7. kwiat –
8. aplikacja –
9. ziemniak –
10. cena –

CZYTAJ

3 **Proszę uzupełnić zdania dowolnym przymiotnikiem w liczbie mnogiej.**
Fill in the gaps with any adjective in plural.

1. *duże* .... zakupy
2. .... sklepy
3. .... korki
4. .... tematy
5. .... korzenie
6. .... reklamy
7. .... gazety
8. .... klientki

4 **Dwa czy dwie?**
Write 'dwa' or 'dwie'.

1. *dwa* .... złote
2. .... panie
3. .... torby
4. .... minuty

5. .... ćwiczenia
6. .... koleżanki
7. .... targi
8. .... marchewki

5 **Gdzie są słowa?**
Find the words.

8

Ogród

spędzać *spend*
pomagać *help (v.)*
odpoczywać *relax*

kosmiczna ilość
huge amount

głodny *hungry*
wilk *wolf*
frytki *chips*
kręcić nosem *sniff*

zdecydowanie
authoritatively
okazja *opportunity*

Raz się żyje! *You only*
live once!
bakalie *dried fruit*
and nuts
rodzynek *raisin*
orzech *nut*
wąchać *smell (v.)*
zepsuty *rotten*

ogród *garden*

zioło *herb*
róża herbaciana *tea rose*

Karolina **spędza** wakacje u babci w Gdańsku. Dziadek jest w sanatorium i Karolina ma **pomagać** babci, ale babcia mówi, że ona sama da radę, a czas wolny jest, żeby **odpoczywać**. Więc Karolina chodzi na długie spacery, czyta książki, ogląda filmy, je chipsy i słone paluszki w **kosmicznych ilościach** i... trochę się już nudzi.

– Obiad! – słyszy Karolina i idzie do kuchni.

– Co dzisiaj jemy, babciu? Jestem **głodna** jak **wilk**!

– Zupę pieczarkową. Na drugie danie dorsz i buraki.

– Znowu? Babciu, a kiedy kurczak pieczony i **frytki**? Non stop tylko ryby i ryby... – **kręci nosem** Karolina.

– Kurczaki to toksyczny koktajl sterydów, antybiotyków i hormonów – mówi **zdecydowanie** babcia. – Jesteś nad morzem, to masz **okazję** jeść dorsze, śledzie i łososie. I to świeże albo wędzone, a nie mrożone! A jutro wraca dziadek – robimy sobie święto i idziemy do restauracji. Lubisz owoce morza?

– Lubię, ale mam alergię. Możemy iść na steki? Tu blisko jest nowa amerykańska restauracja. I mają smażone banany!

– I frytki, co? – mówi wesoło babcia. – Możemy, **raz się żyje**!

– A co mamy dziś na deser?

– Lody z **bakaliami**. Mam pyszne **rodzynki**, **orzechy** i suszone owoce. Możemy też zrobić sok multiwitaminowy – mam tu trzy marchewki, dwie pietruszki – na zupę za mało, na sok idealnie. Tam są pomarańcze, mandarynki, jest jeszcze jeden świeży ananas, no... – babcia **wącha** owoc. – Już nie taki świeży. Bardzo dojrzały, ale jeszcze nie **zepsuty**. Te banany też mogą być tylko na sok, bo są bardzo miękkie. Możesz zrobić ten sok sama? Ja muszę iść do **ogrodu**.

– Babciu, sok później, wolę pomagać ci w ogrodzie. Kocham naturę! – mówi Karolina z entuzjazmem. – Ale ogród to dla mnie czarna magia, bo w domu to tata jest ekspertem od „zielonego". Nasz balkon wygląda jak oranżeria: różne **zioła**, kolorowe kwiaty. Teraz mamy róże, wszystkie kolory. Moje ulubione to **róże herbaciane**. Jaki mają aromat, babciu! Mogę wąchać i wąchać! Lubimy tam się uczyć albo siedzieć

CZYTAJ

i nic nie robić. Obok...

– Dobrze, Karolinko – przerywa babcia. – Chodźmy, może-my pracować i rozmawiać, prawda?

Ogród babci jest bardzo stary. Są **drzewa** owocowe, które mają prawie 70 lat! Ich owoce – jabłka, gruszki, wiśnie, śliwki – są małe i brzydkie, ale bardzo smaczne. Oczywiście mają **robaki**, ale babcia mówi, że naturalne proteiny nie **szkodzą**. Po prawej stronie jest ogród warzywny, maliny i czarne **porzeczki**, a po lewej babcia ma kwiaty i zioła. **Pośrodku**, **między** drzewami, jest hamak, stolik i krzesła ogrodowe. Wszystkie **meble** są fioletowe, a konkretnie lawendowe, bo babcia kocha ten kolor. **Włosy** babci też są trochę lawendowe!

– Tutaj masz truskawki, możesz jeść, ile chcesz – mówi babcia. – Sezon już się kończy, może to ostatnie owoce w tym roku?

– Babciu, te twoje truskawki są pyszne, słodkie jak miód!

– Karolinko! Są brudne! – mówi babcia. – Tu masz koszyk, tam jest woda.

– A co to jest, to tutaj? Takie małe żółte kwiatki?

– Które? Tu są ogórki, tam cukinie, a tam pomidory koktajlowe – wyjaśnia babcia. – **Do roboty!** Ach, nigdy nie pamiętam **o rękawiczkach**! Muszę iść na moment do domu. Chcesz coś jeszcze? – pyta babcia.

– Może masz babciu jakieś stare **spodnie**? Te moje nie są dobre do brudnej roboty. I **okulary przeciwsłoneczne**!

Babcia wraca do domu, a Karolina chodzi przez chwilę po ogrodzie, ogląda **doniczki** z ziołami, wącha kwiaty.

– Ciekawe czy ten hamak jest **wygodny**? – mówi do siebie.

Pół minuty później już leży w hamaku. **Nagle** – hop! z prawej, hop! z lewej – dwa czarne koty też leżą obok i mruczą. To ich terytorium, ale akceptują Karolinę, bo ona **karmi** je rybą z obiadu. Oczywiście, kiedy babcia nie widzi. Karolina zamyka oczy, jest **ciepło** i dobrze...

– No co tam, Karolinko, jak się czujesz? – nagle Karolina słyszy babcię. – Może chcesz mi pomagać przy kolacji? ▸

drzewo *tree*

robak *worm*
szkodzić *harm (v.)*
porzeczka *currant*
pośrodku *in the middle*
między *between*
mebel *piece of furniture*
włosy *hair*

Do roboty! *Get down to work!*
o *about*
rękawiczka *glove*
spodnie *trousers*
okulary przeciwsłoneczne *sunglasses*
doniczka *flowerpot*
wygodny *comfortable*
nagle *suddenly*
karmić *feed*

ciepło *warm*

ćwiczenia
exercises

1

Proszę odpowiedzieć na pytania.
Answer the questions.

1. Gdzie Karolina spędza wakacje? *W Gdańsku u babci.*
2. Co Karolina tam robi?

3. Co babcia zwykle robi na obiad?
4. Czy Karolina lubi owoce morza?
5. Jaki deser proponuje babcia?
6. Jaki jest ogród babci?
7. Czy babcia wraca do domu po truskawki?

8. Co robi Karolina w ogrodzie?

9. Jaki kolor mają koty babci?
10. Czy Karolina faktycznie pomaga babci w ogrodzie?

2

Jaka jest liczba mnoga?
What are the plural forms?

1. długi spacer — *długie spacery*
2. gotowany ziemniak —
3. świeża ryba —
4. smażony pomidor —
5. suszony owoc —
6. dojrzały banan —
7. kolorowy kwiat —
8. stare drzewo —
9. czarna porzeczka —
10. słodka truskawka —

CZYTAJ
krok po kroku

3 Co to jest?
What is it?

1. chipsy, słone paluszki — *przekąski*
2. dorsze, śledzie, łososie — ....
3. steki, kurczaki — ....
4. rodzynki, orzechy, suszone owoce — ....
5. lawenda, róże — ....
6. jabłka, gruszki, wiśnie, śliwki — ....
7. stolik, krzesła ogrodowe — ....
8. ogórki, buraki, cukinie — ....

4 Rodzaj nijaki (to) czy tylko liczba mnoga (te)?
Singular (to) or plural (te)?

1. *te* wakacje
2. .... sanatorium
3. .... drzewo
4. .... drzwi
5. .... morze
6. .... spodnie
7. .... okulary

5 Co to znaczy?
What does it mean?

1. kręcić nosem – <u>marudzić</u> | wąchać
2. głodny jak wilk – trochę | bardzo głodny
3. dać radę – móc coś zrobić | nie móc czegoś zrobić
4. czarna magia – rozumieć coś | nie rozumieć czegoś
5. słodki jak miód – bardzo | trochę słodki

słowniczek
glossary

polski	English	your notes

rzeczownik *noun*

polski	English	your notes
owoc	*fruit*	....
ananas	*pineapple*	....
arbuz	*watermelon*	....
gruszka	*pear*	....
jabłko	*apple*	....
jagody/borówki	*blueberries*	....
malina	*raspberry*	....
pomarańcza	*orange*	....
śliwka	*plum*	....
truskawka	*strawberry*	....
winogrona	*grapes*	....
wiśnia	*cherry*	....
warzywo	*vegetable*	....
burak	*beetroot*	....
cebula	*onion*	....
czosnek	*garlic*	....
fasola	*bean*	....
groszek	*peas*	....
grzyb	*mushroom*	....
kalafior	*cauliflower*	....
kapusta	*cabbage*	....
kukurydza	*maize*	....
marchewka	*carrot*	....
pieczarka	*champignon*	....
pietruszka	*parsley*	....
por	*leak*	....
seler	*celery*	....
ziemniak/kartofel	*potato*	....

CZYTAJ

dorsz	*cod*	....
łosoś	*salmon*	....
pstrąg	*trout*	....
śledź	*herring*	....

gorzki	*bitter*	....
kwaśny	*sour*	....
łagodny/delikatny	*mild*	....
ostry/pikantny	*spicy*	....
słodki	*sweet*	....
słony	*salty*	....
suszony	*dried*	....
dojrzały	*ripe*	....
okrągły	*round*	....
owalny	*oval*	....
podłużny	*oblong*	....
duszony	*stewed*	....
gotowany	*cooked*	....
mrożony	*frozen*	....
pieczony	*roasted*	....
smażony	*fried*	....
wędzony	*smoked*	....

9 Gangster

coś na ząb *something to eat*
przy *in (Kopernika Street)*
kościół *church*

dziwnie *strangely*
bez przerwy *non-stop*
lokal *pub*
knajpa *pub*

kasa *cash*

ani jeden *not even one*
koło *next to*
pod *under*
ani..., ani... *neither, nor*

podchodzić *approach*
na oko *more or less*
tłusty *greasy*
fartuch *apron*
japonki *flip-flops*
boczek *bacon*

podwójny *double*
rukola *wild rocket*

farbowany *dyed*

– Jestem głodna jak wilk – mówi Angela. – Chodźmy do jakiejś restauracji!

– A może chodźmy do ciebie do domu, szybko zrobimy **coś na ząb**, szkoda pieniędzy na restaurację – proponuje Mami.

– Szkoda czasu! **Przy** ulicy Kopernika, obok **kościoła**, jest pizzeria „U Gangstera".

– Nie znam tej pizzerii. Skąd wiesz, że jest dobra? I nazywa się **dziwnie**... Może tam spotyka się mafia?

– Mami, **bez przerwy** coś ci nie pasuje. Tu nie ma mafii. A prawdziwy mafioso nie nazywa swojego **lokalu** „U Gangstera" i nie otwiera **knajpy** blisko kościoła!

– A może robi to dla kamuflażu? Angela, nie mam ochoty tam iść. I nie mam apetytu.

– Mami, jeżeli nie masz **kasy**, nie ma problemu – ja płacę. Bez dyskusji!

W pizzerii nie ma **ani jednego** gościa. Dziewczyny decydują się na stolik **koło** okna, **pod** intensywnie czerwonym neonem „U Gangstera". Z uwagą czytają kartę. Dyskusja jest długa, bo Angela generalnie nie je **ani** kiełbasy, **ani** szynki, a Mami nie lubi ani żółtego sera, ani papryki. Więc nie mogą zamówić jednej dużej pizzy na pół, tylko dwie małe.

Do stolika **podchodzi** kelner. Jest niski, gruby, **na oko** 50-55 lat. Ma długie, **tłuste**, czarne włosy i T-shirt z napisem Behemoth. Ma też brudny **fartuch**, stare dżinsy i **japonki**.

– Hm? – pyta kelner.

– To ja poproszę pizzę 21, ale bez kurczaka – Angela zamawia jako pierwsza. – Albo nie, może 16, ale bez **boczku**. I nie chcę tej pikantnej papryki. Poproszę łagodną.

– A dla mnie pizza numer 13, ale bez sera – Mami pokazuje fotografię swojej pizzy. – Może być **podwójny** sos pomidorowy. I nie chcę rozmarynu, wolę **rukolę**.

Kelner notuje i bez słowa komentarza wraca do kuchni.

Angela myśli, że włosy kelnera są **farbowane** i że atmosfera faktycznie jest dziwna, ale woli udawać, że jest OK.

– To fajnie, że każda pizza ma numer – Mami z uwagą dalej

ogląda kartę. – Nie znam ani słowa po włosku i nie wiem, jak czytać te wszystkie nazwy.

– Ja też nie znam włoskiego, ale nie widzę problemu. O, w azjatyckiej restauracji to tak – muszą być numery albo zdjęcia **potraw**. Kto to umie przeczytać?

Mami ignoruje komentarz Angeli. Ogląda restaurację.

– Dziwnie tu… Nie ma **nikogo**, a przecież jest **pora** obiadu. Nie wiem, może kucharza też nie ma? I wszystko jest czerwone: stoły, krzesła, bar, neon… – Mami robi dramatyczną pauzę – czerwone jak wiesz co…

– Mami, ale nasz kelner nie wygląda jak mafioso! Zobacz, ten **facet** nie ma testosteronu **za grosz**! Na oko nie ma też **twardego charakteru**, to nie ten typ.

– Kamuflaż!!! Może on tam nie robi pizzy, tylko…

– Nie **czujesz** tego aromatu? – przerywa Angela. – **Ciasto**, oregano, czosnek, pieczone warzywa, duszone pomidory…

Bum! Bum! Nagle robi się głośno, jest **pełno dymu**.

– Policja! – słyszą zszokowane dziewczyny. – Nie **ruszać się**! **Ręce do góry**!

Jeden policjant wychodzi z kuchni i mówi:

– Nie ma nikogo. W kuchni są drugie drzwi, teraz otwarte, więc chyba jesteśmy **za późno**. A panie co tu robią?

– Czekamy na pizzę. **A o co chodzi?** – Angeli wraca **wigor**, bo policjant jest bardzo przystojny. Wygląda jak komandos z amerykańskiego filmu – wysoki, wysportowany i muskularny.

– Proszę dokumenty – policjant z uwagą ogląda ich paszporty. – W porządku. Czy znają panie tego mężczyznę? – pyta i pokazuje jakieś zdjęcie.

Na zdjęciu jest elegancki dżentelmen z cygarem obok luksusowego czerwonego samochodu.

– Wygląda jak brat **bliźniak** tego naszego kelnera. Tylko taki **bardziej** bogaty. Jakaś **gruba ryba**? – pyta Angela.

– **Szef** mafii. Pół Europy szuka go bez rezultatu – mówi policjant. – I **na pewno** nie ma brata bliźniaka! ›

potrawa *dish*

nikt *nobody*
pora *time*

facet *chap, bloke*
za grosz *not in the slightest*
twardy charakter
   a tough personality
czuć *smell*
ciasto *pastry*
pełno *full of*
dym *smoke (n.)*
ruszać się *move*
Ręce do góry! *Hands up!*
za późno *too late*
A o co chodzi? *What's the matter?*
wigor *vigour*

bliźniak *twin brother*
bardziej *more than*
gruba ryba *big fish*
szef *boss*
na pewno *for sure*

ćwiczenia
exercises

1

Proszę odpowiedzieć na pytania.
Answer the questions.

1. Jak nazywa się pizzeria? *„U Gangstera".*
2. Dlaczego Mami nie chce iść do tej pizzerii? ....
   ....
3. Czy w pizzerii są inni goście? ....
4. Czego nie je Angela, a czego nie lubi Mami? ....
   ....
5. Jak wygląda kelner? ....
   ....
6. Czy dziewczyny mówią po włosku? ....
7. Dlaczego pizzeria jest dziwna? ....
8. Kto mówi „Ręce do góry"? ....

2

Co mówi Angela? Proszę uzupełnić zdania słowami z tabeli.
What are Angela's words? Fill in with the words from the table.

| problem | kościół | kelner | restauracja ✓ | kasa | kurczak | papryka | gangster |

1. Jestem głodna jak wilk. Chodźmy do jakiejś *restauracji* !
2. Obok .... jest pizzeria „U ....".
3. Mami, jeżeli nie masz ...., nie ma ....
4. Nie chcę tej pikantnej .... Poproszę łagodną.
5. To ja poproszę pizzę 21, ale bez ....
6. Wygląda jak brat bliźniak tego naszego ....

3

Co pasuje?
Underline the correct answer.

1. nie mieć za grosz... – nie mieć pieniędzy | <u>ani trochę</u>
2. głodny jak wilk – trochę | bardzo **głodny**
3. coś na ząb – coś małego | dużego do jedzenia
4. na oko – plus minus | bez okularów
5. gruba ryba – mało ważna | ważna **osoba**

4   ***Proszę dopisać końcówki -a/-u.***
Fill in with '-a' or '-u'.

1. Szkoda czas _u_ !
2. Nie mam apetyt __.
3. Nie ma problem __!
4. Mami nie lubi żółtego ser __.
5. Proszę pizzę bez boczk __.
6. Nie chcę rozmaryn __.
7. Nie znam język __ włoskiego.
8. Jest pora obiad __.
9. On nie ma twardego charakter __.
10. On stoi obok samochod __.

5   ***Proszę opisać obrazki. Czym się różnią te osoby?***
Describe the pictures. Find the differences between these persons.

A

B

Eksperyment 10

wnuk *grandson*

stać *stand*

kultowy *iconic*
na rachunek *on the house*
na wynos *take away*

dzieciństwo *childhood*
wątróbka *liver*
szpinak *spinach*
tydzień *week*
ludzie *people*
oko, oczy *eye, eyes*
do środka *inside*
ciemno *dark*
noktowizor *night-vision device*
iść za kimś *follow*
sylwetka *silhouette*
podekscytowany *excited, thrilled*
potrzebny *necessary*

Nie mam zielonego pojęcia! *I have absolutely no idea.*
degustacyjny *tasting*
przystawka *appetiser*
głos *voice*

– Karolinko, **wnuk** mojej koleżanki zaprasza cię na mały spacer po Gdańsku – mówi babcia. – Świetny pomysł, prawda?

Godzinę później Karolina **stoi** koło kościoła Mariackiego.

– Cześć, to z tobą mam iść na ten spacer? – pyta jakiś chłopak. – Jestem Bartek, bloger kulinarny. Wiesz, szukam interesujących restauracji, fotografuję jedzenie, piszę komentarze. Dzisiaj planuję iść do absolutnie **kultowego** miejsca. Masz ochotę na coś nowego? **Na rachunek** mojego portalu.

– Jeśli to nie jest rybna restauracja to bardzo chętnie! – mówi Karolina. – Zapiekanka, placki, coś **na wynos** – wszystko, tylko nie ryby!

– A dlaczego? Masz traumę z **dzieciństwa**? – pyta Bartek.

– Nie. Od dziecka to nie lubię **wątróbki**, tłustego mleka, **szpinaku** i zupy ogórkowej, a ryb – od dwóch **tygodni**.

– No to chodźmy! Akurat mam rezerwację dla dwóch osób. Tam bez rezerwacji nie ma sensu iść – zawsze pełno **ludzi**!

Restauracja nazywa się Wielkie **Oczy**. Z ulicy wygląda normalnie, ale kiedy Bartek z Karoliną wchodzą **do środka**, jest kompletnie **ciemno**. Pali się tylko jedna mała lampa.

– Dzień dobry państwu! – wita ich elegancki mężczyzna. – To **noktowizory** dla państwa. Proszę **iść za mną**.

Karolina widzi tylko **sylwetki**. Idzie zygzakiem za nimi. Jest **podekscytowana** i czuje się jak w labiryncie.

– To państwa stolik – mówi nagle mężczyzna. – A to karty dań. Noktowizory już nie są **potrzebne**, menu jest napisane fluorescencyjnym długopisem.

– Zestaw biało-pomarańczowy, czerwono–czarny i żółtobrązowy – czyta Karolina. – Szkoda, że **nie mam zielonego pojęcia**, co to może być!

– Każdy zestaw to menu **degustacyjne** dla dwóch osób. Trzy kroki: **przystawka**, danie główne i deser. Kolory determinują potrawy. Desery są identyczne dla każdego zestawu – słyszy **głos** mężczyzny. – Czy mają państwo na coś alergię?

– Mam alergię na owoce morza – mówi Karolina.

CZYTAJ

– Ja nie mam alergii na nic – mówi Bartek. – Może poprosimy zestaw pierwszy?

– A co do picia? – pyta kelner. – Sugerujemy zimne napoje. Polecam znakomity **kompot**. Dwa razy?

Karolina i Bartek czekają na przystawkę, żartują i już mają **szampańskie humory**.

– Uwaga! – mówi ktoś nagle. – Przystawki dla państwa, nie ma niczego gorącego, więc mogą jeść państwo rękami, jeżeli jedzenie sztućcami w **ciemności** jest za trudne. Smacznego!

– Phi! Za trudne! – mówi Karolina. – Od dziecka jemy nożem i widelcem, to rutyna!

Ale to nieprawda. Karolina kompletnie nie ma kontroli nad jedzeniem i po dwóch minutach **zaczyna** jeść rękami. Czuje delikatny dyskomfort, ale kto to widzi?

– To są na pewno **szparagi** – mówi Bartek. – I niezbyt smaczny sos czosnkowy.

– A ja myślę, że to **fasolka szparagowa** z humusem i... frytki z marchewki?

– A może to słodkie ziemniaki? – pyta Bartek.

Potem jest danie główne – oboje są pewni, że to drób, ale Karolina mówi, że to indyk, a Bartek, że kurczak. Trudno **powiedzieć**, bo sos jest ostry. A surówka jest trochę gorzka: z selera albo z pietruszki. Ale deser – trzy małe porcje – to **wisienka na torcie**!

– Coś zimnego, czyli lody – Bartek próbuje pierwszy deser. – Ale jakie? Pistacjowe? I czuję jeszcze smak ogórka.

– Ja czuję **pestki dyni** – mówi Karolina. – To jest chyba sorbet arbuzowy. Przepyszny! A ten drugi deser?

– Chyba sernik z jakimś ciepłym i słonym sosem. Może to **masło orzechowe**? Teraz ostatni deser. Błe! – mówi z niesmakiem Bartek. – Strasznie kwaśna galaretka, okropna! Ocet balsamiczny czy polskie winogrona? Ja już nie czuję żadnego smaku.

– Ja też. No i jak widzisz **przyszłość** tej restauracji?

– Czarno! – śmieje się Bartek. ▸

kompot *stewed fruit drink*

szampański humor
great humour

ciemność *darkness*

zaczynać *start*

szparagi *asparagus*

fasolka szparagowa
green beans

powiedzieć *say*

wisienka na torcie
the icing on the cake

pestka *seed*
dynia *pumpkin*

masło orzechowe
peanut butter

przyszłość *future*

1

Co pasuje? Podkreśl odpowiedź zgodną z tekstem.
Underline the correct answer on the basis of the text.

1. Bartek to <u>wnuk</u> | syn koleżanki babci Karoliny.
2. On zaprasza Karolinę na spacer po Krakowie | Gdańsku.
3. Jest kelnerem | blogerem kulinarnym.
4. Oni idą do rybnej | kultowej restauracji.
5. W restauracji jest kompletnie ciemno | zimno.
6. Oni piją | jedzą kompot.
7. Danie główne jest wegetariańskie | mięsne.
8. Deser to trzy małe | duże porcje.

2

Co nie pasuje?
Cross out the odd word.

1. karta dań | stolik | ~~krok~~ | rachunek
2. przystawka | smak | danie główne | deser
3. sztućce | ręka | nóż | widelec
4. drób | frytki | kasza | ryż
5. sernik | czosnek | fasolka | marchewka
6. kurczak | wątróbka | surówka | indyk
7. arbuz | owoce morza | winogrona | wiśnia (wisienka)
8. pietruszka | galaretka | tort | lody
9. słodki | gorzki | ciemny | słony

3

Proszę uzupełnić końcówki (dopełniacz).
Fill in with Genitive endings.

1. Nie lubię wątróbk_i_ , tłust_____ mlek__ .
2. Nie jem szpinak__ i zup__ ogórkow_____ .
3. Tam bez rezerwacji nie ma sens__ iść.
4. Nie mam zielon_____ pojęci__ , co to może być!
5. Ja nie mam alergi__ na nic.
6. Nie ma niczego gorąc_____ – możecie jeść rękami.

CZYTAJ

4   *Proszę uzupełnić (dopełniacz).*
Fill in with Genitive.

1. Karolina czeka na Bartka koło _kościoła_ (kościół).
2. Oni idą do .... (kultowe miejsce).
3. Masz traumę z .... (dzieciństwo)?
4. Bez .... (rezerwacja) nie ma sensu iść.
5. To są noktowizory dla .... (państwo).
6. Co do .... (picie)? – pyta kelner.
7. Od .... (dziecko) jem nożem i widelcem, to rutyna!
8. Oni jedzą frytki z .... (marchewka).
9. Surówka z .... (seler) albo z .... (pietruszka).

5   *Co pasuje?*
Match the halves.

Z + DOPEŁNIACZ

1. stek
2. sok
3. rosół
4. surówka
5. filet
6. zupa krem

a   z kury
b   z kurczaka albo z kaczki
c   z argentyńskiej wołowiny
d   z czarnej porzeczki
e   z kalafiora
f   z czerwonej kapusty

Z + NARZĘDNIK

7. barszcz
8. pierogi
9. szarlotka
10. rosół
11. żurek
12. zapiekanka

g   z podwójnym serem
h   z uszkami
i   z jajkiem i białą kiełbasą
j   z kapustą i grzybami
k   z lodami waniliowymi
l   z makaronem

słowniczek
glossary

9   10

	polski	English	your notes
czasownik *verb*	**polecać**	*recommend*	....
	rezerwować	*reserve*	....
	zamawiać	*order*	....
	zapraszać	*invite*	....
rzeczownik *noun*	**bigos**	*cabbage stew*	....
	naleśniki	*pancakes*	....
	placki	*crumpets*	....
	rosół	*chicken soup*	....
	uszka	*ravioli*	....
	zapiekanka	*open-faced cheese sandwich*	....
	żurek	*sour rye soup*	....
	drób	*poultry*	....
	indyk	*turkey*	....
	kaczka	*duck*	....
	kura	*hen*	....
	wołowina	*beef*	....
	wieprzowina	*pork*	....
	galaretka	*jelly*	....
	lody	*icecream*	....
	makowiec	*poppy seed cake*	....
	sernik	*cheesecake*	....
	przystawka	*appetiser*	....
	zupa	*soup*	....
	danie główne	*main course*	....

deser	*dessert*	....
zestaw	*set (n.)*	....
karta dań/menu	*menu*	....
napiwek	*tip*	....
rachunek	*bill*	....
samoobsługa	*self-service*	....
stolik	*table*	....

przymiotnik
adjective

przepyszny	*delicious*	....
smaczny	*tasty*	....
znakomity	*excellent*	....
okropny	*awful*	....
straszny	*dreadful*	....
ciepły	*warm*	....
chłodny	*lukewarm*	....

inne
other

bez	*without*	....
blisko	*close, near*	....
dla	*for*	....
do	*to*	....
koło	*next to*	....
obok	*next to*	....
od	*since, for, from*	....
u	*at*	....
z	*from*	....

słownik
glossary

polski	English	your notes
A		
akurat	*actually*	
ananas	*pineapple*	
ani..., ani...	*neither, nor*	
ankieta	*survey*	
apteka	*chemist's*	
arbuz	*watermelon*	
argument	*argument*	
aukcja	*charity auction*	
autostop	*hitchhike*	
B **babcia**	*grandma*	
bakalie	*dried fruit and nuts*	
banknot	*banknote*	
bankomat	*cashpoint*	
bardziej	*more than*	
bez	*without*	
biedny	*poor*	
biegać	*run*	
bita śmietana	*whipped cream*	
blisko	*close, near*	
bliźniak	*twin brother*	
boczek	*bacon*	
bogaty	*rich*	
bułka	*bread roll*	
burak	*beetroot*	
but	*shoe*	
butelka	*bottle*	
być	*be*	
bzdura	*nonsense*	
C **cały**	*whole*	

cebula	onion	....
cena	price	....
charytatywny	charitable	....
chcieć	want	....
chętnie	willingly	....
chleb	bread	....
chłodny	lukewarm	....
chłopak	boy, boyfriend	....
chodzić	go	....
chodzi o	as far as	....
chudy	thin, lean	....
chwila	moment	....
chyba	perhaps	....
ciasto	cake, pastry	....
ciekawy	interesting	....
ciemność	darkness	....
ciemny	dark	....
ciepły	warm	....
coś	something	....
coś jeszcze?	anything else?	....
cukier	sugar	....
cukiernia	cake shop	....
cukinia	courgette	....
cyrk	circus	....
cytryna	lemon	....
czasami	sometimes	....
czegoś	something	....
czosnek	garlic	....
czuć	smell	....
czuć się	feel	....
D dać	give	....
dać radę	manage	....
danie	dish	....
degustacyjny	tasting	....

delikatesy	*delicatessen*	
dezaprobata	*disapproval*	
dla	*for*	
dlatego	*so*	
długi	*long*	
dodawać	*add*	
dojrzały	*ripe*	
dokładnie	*precisely*	
doniczka	*flowerpot*	
dorsz	*cod*	
droga	*way*	
drogi	*expensive*	
drożdżówka	*bun*	
drób	*poultry*	
drugi	*second*	
drzewo	*tree*	
drzwi	*door*	
drzwi w drzwi	*next door*	
duszony	*stewed*	
dużo	*a lot*	
dworzec	*station*	
dym	*smoke (n.)*	
dynia	*pumpkin*	
dziadek	*grandpa*	
dzieciństwo	*childhood*	
dzień	*day*	
dziewczyna	*girl, girlfriend*	
dziwnie	*strangely*	
dzwonek	*door bell*	
dżem	*jam*	

E

emerytura	*pension*	
ewentualnie	*alternatively*	

F

facet	*chap, bloke*	
farbowany	*dyed*	

fartuch	*apron*	
fasola	*bean*	
fasolka szparagowa	*green beans*	
G **galaretka**	*jelly*	
głodny	*hungry*	
głos	*voice*	
głowa	*head (n.)*	
głupi	*silly*	
gorący	*hot*	
gorzki	*bitter*	
gospodarz	*host*	
gospodyni	*hostess*	
gość	*guest*	
gotować	*cook*	
gotowany	*cooked*	
gotówka	*cash*	
góra	*mountain*	
grosz	*penny*	
groszek	*peas*	
grać	*play*	
grzyb	*mushroom*	
H **herbaciana róża**	*tea rose*	
I **ich**	*their, theirs*	
ilość	*amount*	
indyk	*turkey*	
inny	*another, other*	
iść	*go*	
iść za kimś	*follow*	
J **jabłko**	*apple*	
jagody/borówki	*blueberries*	
jajecznica	*scrambled eggs*	
jajko	*egg*	
jajko sadzone	*fried egg*	
jakiś	*a, any*	

japonki	*flip-flops*	....
jarzynowy	*made of vegetables*	....
jasne!	*sure!*	....
jasny	*bright*	....
je	*them*	....
jechać	*drive, ride*	....
jednorazowy	*disposable*	....
jedzenie	*eating*	....
jego	*his*	....
jej	*her, hers*	....
jeszcze	*still, yet, and*	....
jeść	*eat*	....
jeśli	*if*	....
jeździć	*drive, ride*	....
język obcy	*foreign language*	....
już	*just*	....
K **kaczka**	*duck*	....
kalafior	*cauliflower*	....
kanapka	*sandwich*	....
kapusta	*cabbage*	....
karetka	*ambulance*	....
karmić	*feed*	....
karta dań/menu	*menu*	....
kasa	*cash*	....
kasza	*groats*	....
każdy	*every*	....
kiczowaty	*trashy, kitschy*	....
kieliszek	*(wine) glass*	....
kiełbasa	*sausage*	....
kiosk	*newsagent*	....
kiszony	*pickled*	....
knajpa	*pub*	....
kochać	*love*	....
kogo?	*who? (Accusative)*	....

kokieteria	*coquetry, flirtatiousness*	....
koktajl	*milkshake*	....
kolacja	*dinner*	....
kolejka	*queue*	....
kolekcjonować	*collect*	....
koło	*next to*	....
kompot	*stewed fruit drink*	....
konto	*account*	....
koń	*horse*	....
korek	*traffic jam*	....
korkociąg	*corkscrew*	....
korzenie	*roots*	....
koszmar	*nightmare*	....
kosztować	*cost*	....
koszyk	*basket*	....
kościół	*church*	....
krótki	*short*	....
krytycznie	*critically*	....
ktoś	*somebody*	....
który	*which, that*	....
kuchnia	*kitchen*	....
kukurydza	*maize*	....
kultowy	*iconic*	....
kupować	*buy*	....
kuracja	*treatment*	....
kurczak	*chicken*	....
kwaśny	*sour*	....
kwiaciarnia	*flower shop*	....
kwiat	*flower*	....
L **lada**	*counter*	....
lekarstwo, lek	*medicine*	....
liczba	*number*	....
liczyć	*count*	....

lista	*list*	....
lodowaty	*icy*	....
lody	*icecream*	....
lokal	*pub*	....
lód	*ice*	....
ludzie	*ludzie*	....

Ł

łagodny	*mild*	....
łatwy	*easy*	....
łosoś	*salmon*	....
łyżka	*spoon*	....
łyżeczka	*teaspoon*	....

M

makaron	*pasta*	....
malina	*raspberry*	....
malować	*paint*	....
marchewka	*carrot*	....
mało	*little, few*	....
markowy	*brand name*	....
martwić się	*worry (v.)*	....
marynowany	*marinated, pickled*	....
masło	*butter*	....
masło orzechowe	*peanut butter*	....
mąż	*husband*	....
mebel	*piece of furniture*	....
mieć nadzieję	*hope (v.)*	....
mieć ochotę na	*fancy*	....
mieć rację	*be right*	....
między	*between*	....
miękki	*soft*	....
mięso	*meat*	....
mięta	*mint*	....
miliard	*billion*	....
mina	*face expression*	....
miód	*honey*	....
mleko	*milk*	....

mocny	*strong*	....
moneta	*coin*	....
morze	*sea*	....
może być	*It's OK.*	....
może, być może	*maybe*	....
można	*you can*	....
móc	*can*	....
mój	*my, mine*	....
mrożony	*frozen*	....
musieć	*must*	....
N **naczynie**	*kitchen utensil*	....
nad	*above*	....
nagle	*suddenly*	....
najpierw	*first*	....
nakrycie	*place setting*	....
na miejscu	*to eat here*	....
na oko	*more or less*	....
na pewno	*for sure*	....
napis	*inscription*	....
naprawdę	*really, truly*	....
narty	*skis*	....
następny	*next*	....
nasz	*our, ours*	....
natka	*parsley*	....
natomiast	*whereas*	....
na wynos	*take away*	....
nieczytelny	*illegible*	....
nikt	*nobody*	....
noktowizor	*night-vision device*	....
normalny	*full price*	....
nos	*nose*	....
nóż	*knife*	....
NRD	*East Germany (GDR)*	....
nudny	*boring*	....

nudzić się	*be bored*	....
nuta	*music note*	....
o	*about*	....
obiad	*dinner*	....
obok	*next to*	....
obyczaj	*custom*	....
oczywiście	*of course*	....
od	*since, for, from*	....
odpoczywać	*relax*	....
odpowiadać	*answer*	....
oglądać	*watch*	....
ogórek	*cucumber*	....
ogród	*garden*	....
oj tam	*come off it!*	....
okazja	*opportunity*	....
oko, oczy	*eye, eyes*	....
okrągły	*round*	....
okropny	*awful*	....
okulary przeciwsłoneczne	*sunglasses*	....
opakowanie	*package*	....
opalać się	*sunbathe*	....
opis	*description*	....
optyk	*optician*	....
orzech	*nut*	....
ostatni	*last one*	....
ostry	*spicy*	....
otwieracz	*bottle opener*	....
otwierać	*open*	....
owoc	*fruit*	....
owoce morza	*seafood*	....
paczka	*box*	....
palec	*finger*	....
pałeczki	*chopsticks*	....

O

P

pamiątka	*souvenir*	
papierosy	*cigarettes*	
parówka	*frankfurter*	
pasować	*match*	
pełno	*full of*	
pełnoletni	*over 18 years old*	
pełny	*full*	
pestka	*seed*	
pić	*drink (v.)*	
pieczarka	*champignon*	
pieczony	*roasted*	
pieczywo	*bread*	
piekarnia	*bakery*	
pieniądze	*money*	
pieprz	*pepper*	
pietruszka	*parsley*	
piękny	*beautiful*	
piłka nożna	*football*	
pisać	*write*	
placki	*crumpets*	
płacić	*pay*	
płatki	*cornflakes*	
pływać	*swim*	
po	*after*	
pociąg	*train (n.)*	
po cichu	*quietly*	
po co	*what for*	
pochodzić	*come from*	
poczucie humoru	*a sense of humour*	
pod	*under*	
podchodzić	*approach*	
podekscytowany	*excited, thrilled*	
podłużny	*oblong*	
podobny	*similar*	

podpisać	_sign (v.)_	....
podróż	_journey_	....
podróżować	_travel_	....
podwójny	_double_	....
pokazywać	_show_	....
polecać	_recommend_	....
pomagać	_help (v.)_	....
pomarańcza	_orange_	....
pomidor	_tomato_	....
pomysł	_idea_	....
por	_leak_	....
pora	_time_	....
portfel	_wallet_	....
porządek	_order (n.)_	....
porzeczka	_currant_	....
pośrodku	_in the middle_	....
potrawa	_dish_	....
potrzebny	_necessary_	....
powiedzieć	_say_	....
powtarzać	_revise_	....
poza tym	_besides_	....
pożyczać	_borrow_	....
pół	_half_	....
później	_later_	....
pracować	_work_	....
prawdziwy	_true_	....
prawie	_almost_	....
prawo	_law_	....
pretekst	_pretext_	....
przepyszny	_delicious_	....
przerwa	_break (n.)_	....
przerywać	_interrupt_	....
przygotować	_prepare_	....
przystawka	_appetiser_	....

przyszłość	*future*	....
ptak	*bird*	....
pukać	*knock*	....
Puk, puk!	*Knock! Knock!*	....
pusty	*empty*	....
R **rachunek**	*bill*	....
randka	*date*	....
rano	*in the morning*	....
raz	*once*	....
reguła	*rule (n.)*	....
reklama	*advertisement*	....
rekwizyt	*stage prop*	....
rezerwować	*reserve*	....
ręka	*hand (n.)*	....
rękawiczka	*glove*	....
robak	*worm*	....
robić	*do, make*	....
robota	*work (n.)*	....
rodzice	*parents*	....
rodzina	*family*	....
rodzynek	*raisin*	....
rosół	*chicken soup*	....
rower	*bicycle*	....
różny	*different*	....
rukola	*wild rocket*	....
ruszać się	*move*	....
ryzyko	*risk (n.)*	....
rzecz	*thing*	....
S **sam**	*on one's own, alone*	....
samoobsługa	*self-service*	....
scyzoryk	*penknife*	....
ser	*cheese*	....
sernik	*cheesecake*	....
seler	*celery*	....

serial	*TV series*	....
serwetka	*table napkin, serviette*	....
skrzypce	*violin*	....
skrzypek	*violinist*	....
słaby	*weak*	....
słodki	*sweet*	....
słony	*salty*	....
słuchać	*listen*	....
smaczny	*tasty*	....
smak	*taste (n.)*	....
smażony	*fried*	....
smok	*dragon*	....
sok	*juice*	....
sól	*salt*	....
spacerować	*walk*	....
spać	*sleep (v.)*	....
spędzać	*spend*	....
sprzątać	*tidy up*	....
sprzedawać	*sell*	....
sprzedawca	*shop assistant*	....
spodnie	*trousers*	....
spotykać się	*meet*	....
spróbować	*try*	....
spóźnienie	*being late*	....
stać	*stand*	....
stoisko	*stall*	....
stolik	*table*	....
straszny	*dreadful*	....
strona	*page*	....
surowy	*raw*	....
surówka	*salad*	....
suszony	*dried*	....
sylwetka	*silhouette*	....
syn	*son*	....

szachy	*chess*	....
szarlotka	*apple pie*	....
szczęście	*good luck*	....
szef	*boss*	....
szklanka	*table glass*	....
szkoda!	*What a pity!*	....
szkodzić	*harm (v.)*	....
szparagi	*asparagus*	....
szpinak	*spinach*	....
sztućce	*cutlery*	....
sztuka	*item*	....
szukać	*look for*	....
szybko	*quickly*	....
szynka	*ham*	....

Ś

śledź	*herring*	....
śliwka	*plum*	....
śmiać się	*laugh*	....
śmierć	*death*	....
śmietana	*sour cream*	....
śniadanie	*breakfast*	....
śpiewać	*sing*	....
średni	*medium*	....
świeży	*fresh*	....
święto	*celebration*	....
świnka	*piggy*	....

T

tabletka	*pill*	....
tak	*so*	....
taki	*so, such*	....
taksówka	*taxi*	....
talerz	*plate*	....
tani	*cheap*	....
targ	*market*	....
tatuaż	*tattoo*	....
tłusty	*greasy, fatty*	....

tłuszcz	*fat*	....
tona	*tone*	....
trudny	*difficult*	....
truskawka	*strawberry*	....
tuńczyk	*tuna*	....
twardy	*hard*	....
twój	*your, yours*	....
tydzień	*week*	....
tylko	*only*	....
U **udawać**	*pretend*	....
ulgowy	*reduced price*	....
ulubiony	*favourite*	....
umieć	*can, be able to*	....
uprawiać sport	*practise a sport*	....
urodziny	*birthday*	....
u siebie	*by oneself*	....
uwaga	*attention, great interest*	....
uważać	*be careful*	....
W **warzywo**	*vegetable*	....
wasz	*your, yours*	....
ważny	*important*	....
wąchać	*smell (v.)*	....
wędlina	*cold cuts*	....
wędzony	*smoked*	....
wiedzieć	*know*	....
wielki	*great*	....
wieprzowina	*pork*	....
więc	*well, so*	....
widelec	*fork*	....
wigor	*vigour*	....
wilk	*wolf*	....
winogrona	*grapes*	....
wiśnia	*cherry*	....

witać	greet	....
właśnie	Oh well!	....
włosy	hair	....
wnuk	grandson	....
woleć	prefer	....
wolny	free	....
wracać	return	....
wszyscy	all, everybody	....
wyglądać	look like	....
wygodny	comfortable	....
wyjaśniać	explain	....
z	with/from	....
za	too	....
zaczynać	start	....
zajęty	busy	....
zakupy	shopping	....
zamawiać	order	....
zamieniać się	swap	....
zamykać	shut, close	....
zapiekanka	open-faced cheese sandwich	....
zapraszać	invite	....
zaraz	in a moment	....
za to	but	....
zawsze	always	....
ząb, zęby	tooth, teeth	....
zdecydowanie	authoritatively	....
zdjęcie	photo	....
zdziwiony	surprised	....
zepsuty	rotten	....
ziemniak/kartofel	potato	....
zimny	cold	....
zimowy	winter	....
zioło	herb	....

zmywać	wash up	....
zmywarka	dishwasher	....
znakomity	excellent	....
znowu	again	....
zobaczyć	see	....
zresztą	besides	....
Ż żartować	joke (v.)	....
żona	wife	....
życie	life	....
żyć	live	....

klucz odpowiedzi
answer key

1

1. 1. Pan Grzegorz Maj.; 2. Z rodzicami.; 3. Profil Angeli na portalu randkowym.; 4. W bikini, z tatą.; 5. Podróżować, opalać się, pływać.; 6. Piękny i fotogeniczny.; 7. Grać na komputerze, malować, słuchać muzyki.; 8. Przystojny, inteligentny, wysportowany.; 9. Tak, jeździ konno i biega na nartach.; 10. Z profilu, z kotem.
2. 1. dzwonek; 2. z rodzicami; 3. o rodzinie; 4. do sukcesu; 5. z kotem; 6. nudne; 7. na nartach; 8. na pierogi; 9. na prawo
3. 1e; 2a; 3i; 4c; 5g; 6b; 7d; 8h; 9f
4. 1. słyszy; 2. rozmawia; 3. mogę; 4. robisz, rozmawiasz; 5. loguje się; 6. robicie, uczycie się; 7. oglądamy; 8. mogą; 9. piszesz; lubisz; 10. kontynuuje
5. przystojny; sportem i literaturą; grać w szachy; angielskiego; prawo; 21 lat; palić

2

1. 1. N; 2. P; 3. N; 4. N; 5. P; 6. P; 7. P
2. 1. zamykać; 2. siedzieć; 3. mieć; 4. szukać; 5. robić; 6. grać; 7. czytać, pisać; 8. oglądać; 9. czekać; 10. dzwonić
3. śpiewają; słyszy; muszę; mogę; gotuje; zmywa; sprząta; widzisz; wiem; słucha; otwiera; pływa; kocha; czuję; powtórzyć
4. 1. siedzą, rozmawiają; 2. zamyka; 3. słyszysz; 4. Lubię; 5. wiem; 6. widzę; 7. piszą; 8. reaguje; czyta, komentuje; 9. kupujesz; 10. prezentuje
5. 1. irytować się; 2. krytykować; 3. protestować; 4. komentować; 5. prezentować; 6. eksplodować
6. 1. Mam; 2. Mówię; 3. Gram; 4. Mam; 5. Pływam; 6. Czuję się

3

1. K; S; S; S; K; K; S; S; K; K
2. 1. zakupy; 2. listę; 3. gotówką; 4. płaci; 5. okulary; 6. chleb, czarną kawę, szarlotkę; 7. syna; 8. gazetę; 9. grać; 10. jechać
3. 1b; 2f; 3a; 4d; 5h; 6g; 7e; 8c
4. 1. Co? Duże zakupy.; 2. Co? Czarną kawę.; 3. Kogo? Syna Amadeusza.; 4. Na co? Na taksówkę./Na kogo? Na żonę Konstancję.; 5. Co? Monetę./Grosz.; 6. W co? W Lotto.
4. witaminę C, aspirynę, gazetę, długopis, różę, tulipana, ołówek, czarną kawę, chleb słowiański, szarlotkę

4

1. 1. Jest piątek.; 2. Oni piją herbatę, coś oglądają, powtarzają gramatykę.; 3. Ona mówi, że Karolina i Patryk organizują aukcję charytatywną.; 4. On chce zrobić „Aukcję Interesujących Rzeczy".; 5. Tak, ona lubi rodzinę państwa Maj.; 6. Ona ma książkę – edycję limitowaną.; 7. W portfelu Toma są banknoty i monety ze Szwecji i Wielkiej Brytanii.; 8. Nie, to imitacja.; 9. Na fotografii jest Javier i jego rodzice.; 10. Javier.
2. 1. krótką; 2. pracę domową; 3. ważną informację; 4. charytatywną; 5. ołówek; 6. kota; 7. książkę; 8. rosyjską; 9. stary markowy portfel; 10. rower
3. *odpowiedzi przykładowe:* 1. krótką; 2. czarną; 3. miłego; 4. francuskiego; 5. dobrą; 6. dużą; 7. kolorową
4. 1. pracę domową; 2. chłopaka Patryka 3. ciekawą historię; 4. małego psa; 5. Karola, tatę; 6. tego kota; 7. stary portfel; 8. tę fotografię
5. 1. pięć złotych; 2. dwadzieścia dwa złote; 3. pięćdziesiąt złotych; 4. sto osiemdziesiąt złotych; 5. dwieście złotych; 6. trzysta sześćdziesiąt cztery złote; 7. pięćset złotych; 8. dziewięćset złotych

5

1. 1. śniadaniowe; 2. musztardowy; 3. jarzynowa; 4. domowa; 5. porcelanowy; 6. owocowy
2. 1. tost; 2. płatki śniadaniowe; 3. masło; 4. śmietana; 5. ogórek; 6. lód
3. 1. płatki śniadaniowe z mlekiem; 2. bułkę z masłem, szynką i majonezem; 3. parówkę

z musztardą i keczupem; **4.** jajecznicę
z kiełbasą, cebulą i papryką; **5.** pomidora
i ogórka ze śmietaną

4. 1. ≠; 2. =; 3. ≠; 4. =; 5. ≠; 6. ≠; 7. =; 8. ≠;
9. ≠; 10. =

5. 1. jedzą; 2. ma; 3. je; 4. kupujesz; 5. wolicie;
6. serwuję; 7. pije; 8. chcą

6

1. 1. P; 2. N; 3. N; 4. P; 5. N; 6. N; 7. N; 8. N; 9. P

2. 1. Stół i serwowanie dań.; 2. On jest wysoki,
przystojny, energiczny. Ma 55 lat. Lubi gotować i eksperymentować.; 3. Mami myśli, że
to jest łatwe i naturalne.; 4. Angela myśli, że
to niehigieniczne.; 5. Oni rozmawiają przez
telefon, komentują jedzenie, piją za dużo.;
6. Javier.; 7. „Na zdrowie".; 8. Korkociągiem.

3. *odpowiedzi przykładowe:* 1. Jem kurczaka
sztućcami.; 2. ...pizzę rękami.; 3. ...frytki
palcami.; 4. ...zupę łyżką.; 5. ...lody łyżeczką.;
6. ...pierogi widelcem.; 7. ...sushi pałeczkami.;
8. ...spaghetti łyżką i widelcem.; 9. ...mięso
nożem i widelcem.; 10. ...ziemniaki widelcem.

4. 1. różne; 2. nie rozumieć czegoś; 3. łatwy;
4. brzydko

5. sztućce; łyżka; kieliszek; talerz; nóż; łyżeczka;
szklanka; widelec; serwetka

7

1. 1. P; 2. P; 3. N; 4. N; 5. N; 6. N; 7. P; 8. N; 9. P;

2. 1. targi; 2. owoce; 3. warzywa; 4. stoiska;
5. koszyki; 6. cukinie; 7. kwiaty; 8. aplikacje;
9. ziemniaki; 10. ceny

3. *odpowiedzi przykładowe:* 1. duże; 2. otwarte;
3. duże; 4. ciekawe; 5. polskie; 6. kiczowate;
7. stare; 8. miłe

4. 1. dwa; 2. dwie; 3. dwie; 4. dwie; 5. dwa;
6. dwie; 7. dwa; 8. dwie

5. targ; sklep; zakupy; kiosk; pieniądze; torba;
lista; stoisko; sprzedawać; kolejka; język;
sprzedawca; lada; kosztować; cena

8

1. 1. W Gdańsku u babci.; 2. Odpoczywa, chodzi
na spacery, czyta książki, ogląda filmy, je
chipsy, nudzi się.; 3. Ryby.; 4. Tak, ale ma
alergię., 5. Lody z bakaliami.; 6. Bardzo stary.;
7. Nie, ona nie pamięta o rękawiczkach.;
8. Spaceruje, ogląda i wącha kwiaty.;
9. One są czarne.; 10. Nie, ona śpi.

2. 1. długie spacery; 2. gotowane ziemniaki;
3. świeże ryby; 4. smażone pomidory;
5. suszone owoce; 6. dojrzałe banany;
7. kolorowe kwiaty; 8. stare drzewa; 9. czarne
porzeczki; 10. słodkie truskawki

3. 1. przekąski; 2. ryby; 3. mięso; 4. bakalie;
5. kwiaty; 6. owoce; 7. meble; 8. warzywa

4. 1. te; 2. to; 3. to; 4. te; 5. to; 6. te; 7. te

5. 1. marudzić; 2. bardzo; 3. móc coś zrobić;
4. nie rozumieć czegoś; 5. bardzo

9

1. 1. „U Gangstera".; 2. Ponieważ ona myśli,
że tam spotyka się mafia.; 3. Nie, nie ma
nikogo.; 4. Angela nie je wędliny, a Mami nie
lubi ani żółtego sera, ani papryki.; 5. Jest niski,
gruby, ma 50-55 lat, ma długie włosy, T-shirt,
fartuch, dżinsy, japonki.; 6. Nie.; 7. Bo
wszystko jest czerwone.; 8. Policjant.

2. 1. restauracji; 2. kościoła, Gangstera; 3. kasy,
problemu; 4. papryki; 5. kurczaka; 6. kelnera

3. 1. ani trochę; 2. bardzo; 3. małego; 4. plus
minus; 5. ważna

4. 1. czasu; 2. apetytu; 3. problemu; 4. sera;
5. boczku; 6. rozmarynu; 7. języka; 8. obiadu;
9. charakteru; 10. samochodu

5. *odpowiedzi przykładowe:* **A** On jest wysoki,
przystojny, trochę gruby, ale elegancki
i bogaty. Ma sportowy i drogi samochód.
Pali cygaro. On jest biznesmenem, może
milionerem.; **B** On jest kelnerem. Jest niski
i gruby, na oko ma 50-55 lat. Ma długie
czarne włosy, brudny T-shirt i fartuch, stare
dżinsy i japonki. Jest trochę smutny. Nie ma
samochodu, nie pali cygara.

10

1. 1. wnuk; 2. Gdańsku; 3. blogerem kulinarnym;
4. kultowej; 5. ciemno; 6. piją; 7. mięsne;
8. małe

2. 1. krok; 2. smak; 3. ręka; 4. drób; 5. sernik;
6. surówka; 7. owoce morza; 8. pietruszka;
9. ciemny

3. 1. wątróbki, tłustego mleka; 2. szpinaku, zupy
ogórkowej; 3. sensu; 4. zielonego pojęcia;
5. alergii; 6. gorącego

4. 1. kościoła; 2. kultowego miejsca; 3. dzieciństwa; 4. rezerwacji; 5. państwa; 6. picia;
7. dziecka; 8. marchewki; 9. selera, pietruszki

5. 1c; 2d; 3a; 4f; 5b; 6e; 7h; 8j; 9k; 10l; 11i; 12g

CZYTAJ

notatki
notes

„CZYTAJ krok po kroku" 2
Wydanie pierwsze. Kraków 2018

Autor: **Anna Stelmach**
Redaktor merytoryczny serii: **Iwona Stempek**
Redaktor wydawniczy: **Tomasz Stempek**

Tłumaczenie: **Beata Cygan/Alingua**

Wydawca: **polish-courses.com, ul. Dietla 103,
31-031 Kraków, tel. +48 12 429 40 51,
faks +48 12 422 57 76, e-polish.eu, info@e-polish.eu**

Opracowanie graficzne i skład: **Joanna Czyż**
Rysunki: **Małgorzata Mianowska**
Nagrania: **Marcin Ochel** | Czyta: **Michał Chołka**
Fot. A.Stelmach: **Pracownia Fotograficzna Micuda**

Druk: **Beltrani**/drukarniabeltrani.pl

ISBN: 978-83-941178-7-0

↑ Państwo Maj goszczą u siebie przyjeżdżających na kursy polskiego studentów. Są ciekawi świata i otwarci na nowe kontakty. Chcą też, aby ich dzieci dorastały w atmosferze tolerancji i szacunku dla innych kultur. Żałują, że tak rzadko odwiedzają bliskich – ich rodzina jest rozsypana po całej Polsce.

The Maj family are hosting students coming for Polish courses. They are curious about the world and open to new contacts. They also want their children to grow up in an atmosphere of tolerance and respect for other cultures. Their distant family being scattered throughout Poland, they wish they could visit their loved ones more often.

↓ Życie rodziny Nowaków koncentruje się wokół seniorów. Babcia Zofia od zawsze rządzi mężem i trzema synami. A może tylko tak myśli? Dziadek Felicjan ma świetną receptę na to, jak żyć 100 lat. Nowakowie mają artystyczne aspiracje, nawet ich kot ma imię z opery Mozarta.

The life of the Nowak family revolves around the grandparents. Grandmother Zofia has always been 'in charge of' her husband and three sons. Or maybe she only thinks so? Grandfather Felicjan has a great recipe for how to live a hundred years. The Nowak family have artistic aspirations, even their cat's name is a tribute to a Mozart's opera.